LE CORPS NOIR

Mémoire d'encrier reconnaît l'aide financière
du Gouvernement du Canada
par l'entremise du Conseil des Arts du Canada,
du Fonds du livre du Canada
et du Gouvernement du Québec
par le Programme de crédit d'impôt pour l'édition
de livres, Gestion Sodec.

Mise en page : Virginie Turcotte
Couverture : Étienne Bienvenu
Prise de texte : Cécile Duvelle
Dépôt légal : 2e trimestre 2017

Édition originale : Hachette, 1980

ISBN : 978-2-89712-441-0
HT1581.C42 2017 305.896 C2017-940646-9

MÉMOIRE D'ENCRIER

1260, rue Bélanger, bur. 201, • Montréal • Québec • H2S 1H9
Tél. : 514 989 1491
info@memoiredencrier.com • www.memoiredencrier.com

Jean-Claude Charles

LE CORPS NOIR

MÉMOIRE D'ENCRIER

REMERCIEMENTS

Mémoire d'encrier entreprend la réédition des œuvres de l'écrivain Jean-Claude Charles. Un grand merci à sa fille Elvire Duvelle-Charles et à Martin Munro de Winthrop-King Institute for Contemporary French and Francophone Studies.

AVERTISSEMENT

L'écriture de ce livre s'est achevée à un moment où on ne parlait encore ni de « nouvelle droite » ni de « cannibalisme ». L'évolution du débat idéologique en France, sur fond de malaise antisémite évident, confirme à mes yeux la nécessité de ce travail, de son atypisme. Que certains noms, parmi des gens (Sartre) ou des journaux (*Libération*) que j'aime, y soient cités négativement ne les fait nullement basculer dans le lot de ceux que, définitivement, sans réserve, je vomis.

J.-C. C.
Paris, octobre 1979

DU MÊME AUTEUR CHEZ MÉMOIRE D'ENCRIER

De si jolies petites plages (chronique), 2016.
Bamboola bamboche (roman), 2016.
Manhattan blues (roman), 2015.
Négociations (poésie), 2015.

Aux nègres nus et en chemise.
À la mémoire de Pierre Goldman.

§ Phys. Corps noir : corps absorbant toutes les radiations qu'il reçoit et, chauffé, émettant également toutes les radiations.

(*Le Petit Robert*, 1978)

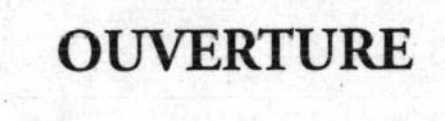
OUVERTURE

DÉPISTAGE DU DALTONISME

Objectif: Constituer des unités perceptives en deux groupes distincts: les boules noires (ayant la forme d'une matraque) et les boules blanches (même forme). L'ensemble de ces boules est placé sur une surface plane, rectangulaire, noires et blanches de prime abord mélangées sans aucune discrimination. Il s'agit de distinguer, après quelques fractions de seconde, les deux matraques.

Résultats: Le regard dit normal ne tarde pas à percevoir dans son champ visuel, comme prévu, une matraque noire (formée par les boules noires) et une matraque blanche (formée par les boules blanches). Le daltonien ne capte aucune différence. Cependant, si l'une des matraques quitte la surface rectangulaire et, allant ainsi au-delà des limites du test, vient rebondir contre son crâne, ledit daltonien reconnaît tout de suite l'objet en question, sans pouvoir toutefois en préciser la couleur.

BONNE NOUVELLE: MA DIFFÉRENCE SE PORTE BIEN

Octobre 1974. L'Université de Houston, au Texas, a engagé un prix Nobel scientifique qui propose, comme solution au problème de la pauvreté aux États-Unis, la stérilisation des Chicanos, les Américains d'origine mexicaine, des Indiens et des Noirs. Une fatalité héréditaire pèserait sur ces gens qui, pour la plupart, se refusent à être riches. Manifestation sur le campus, tous les hommes sont égaux, tous les hommes sont égaux, tous les… On n'imagine pas un autre réflexe, en Amérique du Nord, après la colère noire des années soixante.

Octobre 1976. M. Earl Butz, secrétaire américain à l'Agriculture, est amené à démissionner. Il a raconté en public un « joke » qui, soutient-il pour se défendre, ne reflète nullement son point de vue personnel. Les nègres, avait-il dit, ne s'intéresseraient qu'à tirer un coup, pantoufler confortablement et chier dans un p'tit coin bien au chaud… Sous le régime à prétention libérale de Jimmy Carter, on n'imagine pas une autre issue à Gribouille que la révocation.

Avril 1978. M. Clifford Alexander est aux anges. Premier Noir à être secrétaire à la U.S. Army, il préside une cérémonie attendue depuis trente-trois ans. Le 76e bataillon de chars, composé exclusivement de « colored people », se voit enfin attribuer une citation présidentielle pour actes de bravoure pendant la Seconde Guerre mondiale… Ce bataillon ne porte pas n'importe quel surnom. Il s'appelle *Black Panther.*

Mai 1978. Le gouvernement sud-africain fulmine. L'agence d'information américaine jubile. Elle s'est avisée de projeter sur grand écran, pour les esclaves de Soweto et des villes flagellées par l'apartheid, le feuilleton télévisé adapté du livre d'Alex Haley, *Racines.* Le Ku Klux Klan et les néonazis, comme leurs adversaires antiracistes, n'y voient que du feu.

Le rêve égalitaire prend ainsi une forme piégée.

D'une part, la situation réelle de la majorité des Noirs américains n'a cessé de se dégrader, à tous les niveaux. D'autre part, brouillant ces coulisses ignorées d'être trop vues, inexistantes d'être trop sues, une théâtralisation symbolique remarquable donne à voir au monde une Amérique où enfin les principes et les idéaux des pères fondateurs seraient en voie de réalisation. Mise en scène qui vient se greffer en Europe – cela est de plus en plus évident en France – sur une fascination massive pour le folklore U.S., terre de la démocratie distribuée à tour de bras, des droits de l'homme défendus du bec et des ongles, du Watergate et des tee-shirts où la police fait bon ménage avec l'université, disneyland d'une débordante originalité, à la pointe de tous les progrès après avoir été l'objet des anti-américanismes les plus naïfs.

Dans la confusion d'un temps où – consensus établi sur la barbarie soviétique; trépassé le bébé chinois, vite jeté avec l'eau du bain; l'Asie du Sud-Est parvenant brillamment dans le sang versé en « famille » à faire oublier son passé récent; l'Afrique poings offerts à Moscou où le jeu d'échecs de la politique mondiale fait passer dangereusement ses aspirations à la libération, pieds liés depuis longtemps par les anciennes puissances coloniales, vendue aux multinationales, étranglée par ses classes dirigeantes; l'Amérique latine, le Che aplati en poster, réduite à la mise en veilleuse de ses tempêtes, feux vifs sous la cendre, envahissante clameur de bottes –, la sensation de vide est désormais installée, le champ ouvert à toutes les déprimes. Et voici que la seule image supportable dans son mensonge même, pour le plus grand malheur de son peuple, semble venir de ce pays qui a inauguré son histoire par le génocide des Indiens, s'est construit sur le dos des Noirs, vit aujourd'hui de leur relative marginalisation et de celle des immigrés dont il domine les patries d'origine.

Donc la cause de l'antiracisme noir est entendue. Dans l'éducation aux États-Unis: détérioration accélérée de la qualité de l'enseignement et reprise en main des acquis de la lutte pour les droits civiques. Sur le plan social et des conditions de vie: en 1975, 31,5 % de Noirs considérés (officiellement) comme pauvres; plus de 40 % des chômeurs entre 16 et 21 ans; revenus d'une famille noire dite « moyenne » inférieurs de 42 % à ceux de son équivalent blanc; plus de 40 % de la population carcérale en 1977; moins de 1 % des fonctions électives... Inutile de compléter le dessin.

En France?

Fin novembre 1978, le gouvernement organise une « Semaine du dialogue entre Français et immigrés ». Point de vue: le racisme, *quand il existe,* est lié à la non-reconnaissance, le non-respect de la *différence.* Images à la télévision d'un Africain jouant avec un enfant blanc, bateau. Il serait bien entendu inconvenant de montrer la prison clandestine d'Arenc, à Marseille, dont un non-lieu, tout ce qu'il y a de plus légal, a clos le dossier. Il serait indécent de filmer bidonvilles et cités de transit ; de suivre, caméra invisible, tel étudiant gabonais dans l'aventure de la recherche d'un logement à Paris ou à Strasbourg ; de demander à cette secrétaire ivoirienne comment la crise économique lui aura permis de découvrir qu'elle « tape en petit-nègre ». Ça ne fait pas partie du dialogue.

Gouvernants, réactionnaires éclairés, progressistes bon teint, démocrates au-dessus de tout soupçon et jusqu'au chien-chien de ma voisine de palier s'entendent pour s'inquiéter que ma *différence* ne soit bafouée. Elle ne s'est pourtant jamais portée aussi bien ma différence ! Curieuse destinée d'une problématique introduite par Montaigne, reconduite par Rousseau, déplacée dans l'anthropologie moderne, utilisée plus ou moins efficacement contre les tendances à l'uniforme, à l'homogène, à l'orthodoxe, au broyage universaliste des humanismes sur fond de leurre, à la standardisation culturelle et sociale, et aujourd'hui opérant contre les diversités mêmes qu'elle aura servi à mettre au jour.

Différence? Ou tonnes d'idées reçues, entretenues dans les discours « sympathiques » vis-à-vis des nègres, dans cette négrophilie qui est au racisme classique ce que l'assistance est à l'exclusion sociale : facteur d'aggravation, de renforcement du Même par la bonne foi ; coup de pied de l'âne par défaut de conscience ou par intentionnalité inconsciente.

Ici s'amorce une tentative de saisie de ce qui se nomme « la question noire » – et qu'il faudra bien débaptiser. Par plusieurs bouts à la fois. Y compris, surtout, les plus éloignés apparemment. À partir d'un fil obsessionnel obligé : le carnaval macabre des boutiquiers de la négritude toujours prêts à brandir leurs « spécificités » dans un uniforme froissement de chèques, un tam-tam de capital transnational. Un bruit de mort auquel l'Occident peut rester sourd, puisqu'il vit, s'affirme à ce prix-là. La misère noire ne serait pas la misère blanche ? Un cadavre noir ne serait pas un cadavre blanc ?

Du corps noir comme invention. Du corps noir comme objet d'échange. Telles sont les deux articulations de cette réflexion sur les dépôts de stéréotypes, de fantasmes sur les Noirs – auxquels il s'avère que des Noirs eux-mêmes participent avec talent ; à travers les corps multiples que l'œil du maître voudrait unifier et folkloriser dans le travail acharné de l'altération ethnique ; à travers aussi, découpé, éparpillé, mon propre corps, ses conflits, sa dispersion. À ses risques et périls.

I

LES FANTASMES DE LA DIFFÉRENCE

Où le héros, afin d'attribuer le Grand Prix du Nègre Parfait, va traverser – sur un swing énergique – le modèle blanc de la représentation du Noir. Où l'on verra que, tout compte fait, le meilleur Nègre est le Nègre mort.

— La saison est belle ? demandai-je à mon chauffeur.
— On ne peut pas se plaindre, me répondit-il... Hier, nous avons eu une averse de papillons noirs du plus bel effet. Nous nous sommes tous baignés dans la pluie...

Jacques Stephen Alexis
Romancero aux étoiles

L'INVENTION DU VARI-Q

Le *jelly roll* est un gâteau à la confiture, de forme allongée, phallique. C'est aussi le nom donné à Ferdinand Joseph La Menthe Morton, alias Jelly Roll Morton, dont le génie pianistique est resté dans les annales du jazz; et les dents incrustées de diamants, dans la légende. Sa musique a déshabillé des légions entières de stripteaseuses de bordel, et fait la fortune de quelques jazzbizmen. Je lui attribuerais d'entrée de jeu le Grand Prix du Nègre Parfait, si ne se pressaient au portillon, dans ma galerie imaginaire, tant de concurrents.

Au choix: Marius Trésor. Sélectionné en 1978, dans l'équipe de France, pour la Coupe du monde de football en Argentine, il chante à la télévision, sur le plateau de Guy Lux. Image du nègre total: enchantement du corps et de l'âme. Par la voix, il marque sa *différence* par rapport à dix ternes coéquipiers blancs. Modulant, cadence des reins, une biguine, il donne à écouter *la* musique noire. Comme le blues, le calypso, le reggae... Il déploie «l'ensemble des valeurs de civilisation du monde noir» (définition magnétophonique de la négritude). Reconnaissable à ce je ne sais quoi de rythmé, de coloré, de swinguant...

> «Impossible de ne pas battre la mesure avec le pied. Impossible de ne pas vibrer à chaque chorus. C'est ça le swing. L'ennui c'est que la plupart des enceintes acoustiques n'ont pas assez de basses pour bien swinguer. Ou bien elles en ont trop, et elles étouffent la musique. Alors? Marantz a trouvé la solution. Les enceintes

acoustiques sont désormais pourvues du "Vari-Q". C'est un système exclusif qui permet, en actionnant une petite valve, de passer d'une écoute neutre, parfaite pour la musique classique, à une écoute colorée. Avec une augmentation du relief dans les basses. Idéal pour un jazz-band en plein bœuf. »

(Publicité parue dans *Le Monde* du 19 octobre 1978[1], sous le titre « Le Duke n'a jamais autant swingué ».)

À ce texte, je souhaiterais bien entendu qu'on n'applique pas une lecture neutre. En attendant l'invention d'un Vari-Q pour la lecture colorée, permettez que j'accentue moi-même les harmoniques graves.

1 Également dans *Lui*, décembre 1978.

COMMENT RECONNAÎTRE UN NOIR

Certes il est loin le temps où Hérodote gratifiait le Noir, en toute bonne foi, d'un sperme particulièrement foncé. Elles sont périmées, les thèses où Gobineau (le comte de?) lui trouvait un cerveau de primate. Quelque chose perdure pourtant de ce délire, important pour en saisir l'enjeu (déplacé): non plus la *lettre*, ruinée autant par des travaux scientifiques que par l'expérience violente, dans les colonies et ailleurs, d'une intelligence de masse; mais l'*esprit*. Formulable en une question, plate: *comment reconnaître un Noir?*

Comme si, derrière la couleur, s'activait une essence incontournable, repérable à des signes, éternellement présente, et qui imposerait à tous les Noirs de la terre, hors Histoire, un être collectif (mauvais ou bon), une nature (inférieure, supérieure ou égale à un modèle de référence absolu).

Ce qui reste condamné, dans la vision antiraciste dominante: l'idée caduque, anachronique, largement partagée, de l'infériorité d'une race à une autre. La problématique ne change pas. Elle demeure comparative, différentielle, sur la base d'un postulat inébranlable: savoir qu'il existe des races humaines, dotées de singularités immuables, hétérogènes de l'une à l'autre, et contribuant sur un même pied (égalité généralement reconnue, du moins en principe) à la richesse de ce monde.

Sartre, endossant le péché colonial, décrète que « parce qu'elle a eu l'horrible privilège de toucher le fond du malheur, la race noire est une race élue » (*Orphée Noir,* 1948). André Breton, ni Dieu ni maître, trouve une formule-choc pour saluer « l'âme persévérante de la race» (*Xénophiles,* janvier 1946). Michel Serres, anti-maître résolu, qui n'a pas l'habitude des dérapages incontrôlés, proclame avec fougue: «Il faut espérer pour l'avenir du monde que le nouveau Marx sera noir» (revues *Critique* et *Nouvelle Optique*, janvier 1973). Sur France-Musique, on démêle méticuleusement les «Noirs pur sang» des inauthentiques qui, faute de pureté raciale, ont commis du rag-time frelaté (F-M, émission de jazz du 7 août 1978).

Or maîtres d'hier et d'aujourd'hui investissent mon corps, veulent que ça leur produise une plus-value juteuse et me disent la même chose. Les maîtres blancs me disent: Nous avons plein pouvoir sur ton corps; nous sommes son auteur, nous l'écrivons, le décrivons, le déployons, le retournons; nous sommes les pourvoyeurs de sa narration; nous lui donnons son âme. Les maîtres noirs me disent: Nous partageons le même corps; nous sommes le Même dans notre différence; nous partageons la même âme; nous sommes le Même dans notre identité; foin des facteurs historiques, nous sommes nègres de la tête aux pieds et de Dakar à Rio; foin des clivages sociologiques, nous sommes frères, enfants indivis de la Mère Afrique, race souffrante et peuple élu. Tous définissent mon corps noir, à la mesure des défauts ou des vertus de mon âme noire, appauvrie ou enrichie au fil de l'hérédité, depuis la malédiction du fils nègre de Noé: Cham.

Ainsi le cercle est affolant où maîtres blancs et noirs, par-delà les affrontements idéologiques, donnent la main à la Société des Amis des Nègres qui vient surajouter à la vieille imagerie raciste des divagations tout aussi lourdes à porter.

Sisyphe, Noir?

Il faut l'imaginer coincé. Avec cette âme que tant de corps, d'un pays à l'autre, d'un continent à l'autre, doivent se refiler – qu'ils vivent sous une ubuesque dictature africaine ou dans l'introuvable démocratie américaine, qu'ils aient grandi dans une réserve d'Afrique du Sud ou roulent en Cadillac au bord du Missouri, qu'ils aient émigré d'Abidjan aux taudis de Gennevilliers ou soient ministres cossus à Port-au-Prince, qu'ils dansent la bossa à Bahia ou le rock à Montréal.

◆

RAID ISRAÉLIEN SUR ENTEBBE. MADAME BLOCH, OTAGE TRANSFÉRÉ POUR RAISONS DE SANTÉ À UN HÔPITAL DE KAMPALA, A MYSTÉRIEUSEMENT DISPARU. SON FILS ÉCRIT UNE LETTRE AU BOXEUR MOHAMED ALI POUR LUI DEMANDER D'INTERVENIR AUPRÈS DU MARÉCHAL IDI AMIN DADA.

◆

Une telle âme, pour s'exprimer, nécessitait une bouche large et élastique. Les masques comiques d'esclaves, dans la Grèce antique, proposaient un modèle assez bien pourvu. Il resurgira dans le music-hall et les bandes dessinées. Ni gueule de monstre ni lèvres d'ange : un organe conçu avec juste ce qu'il faut d'emphase pour suggérer quelques spécificités internes : des maxillaires, de la mandibule, du frontal, des pariétaux, du sphénoïde... au corps entier. Figure rhétorique mise en branle : la synecdoque. Victoire tardive du masque grec.

(À moins bien sûr que la voie de passage de l'âme noire ne soit plutôt les oreilles, comme l'affirmait ce colon de Saint-Domingue, S.J. Ducœurjoly, dans un *Manuel des Habitants* paru en 1802 : « L'âme du nègre, venant d'Afrique surtout, semble n'être accessible que par l'organe de l'ouïe ; il ne s'anime qu'aux sons bruyants d'un tambour, ou d'une voix fortement articulée »...)

La justification morphologique chez certains poètes négro-africains est, à cet égard, fort significative. Si j'ai un gros nez, explique celui-ci, c'est le Bon Dieu qui l'a voulu, c'est pour mieux respirer. Si j'ai une lippe géante... Système de défense téléologique face au réquisitoire de la doxa de l'esthétique occidentale. Demande que la circonstance atténue ce qui est vécu confusément comme faute de goût.

De même, la fascination de la « démocratie athénienne » chez Léopold Sedar Senghor :

> « Le plus important pour nous, déclare-t-il à un journaliste du *Monde* (13 octobre 1976), n'est pas de passer des 300 dollars

d'aujourd'hui à plus de 600 dollars, comme revenu annuel par tête d'habitant, d'entrer dans la civilisation de consommation, mais d'être véritablement, en 2001, une Grèce noire»...

Grèce rigide, sélective, de Périclès? Grèce de la séparation stricte des citoyens et des métèques? Grèce de la torture par le travail en servitude, au profit du bonheur des individus de haute naissance? Grèce de la domination des mâles adultes?

À force de s'appliquer à utiliser l'héritage colonial à des fins de séduction, le nouveau maître finit par ne pas se rendre compte que l'emprisonne un filet tendu par le vieux maître. Que celui-ci, ayant naguère regardé et décrit le nègre une fois pour toutes, n'aura fait que lui dicter le rapport correct à son propre corps.

Le slogan *Black is beautiful*, dans le contexte des luttes démocratiques, ne constitue pas autre chose que l'effet de cette dictée: le corps se raidissant dans sa prétendue différence, la décrétant avantageuse, bénéfique; incapable de se contenter d'être, sans attribut, de vivre, intransitivement. Se brandissant comme un drapeau, ordre reçu. Le fils de l'esclave d'hier cherchant dans un moderne regard possible du maître la certitude qui se dérobe sous ses pieds au moment même où il répète compulsivement que voilà je la tiens cette certitude, qu'elle est solide, que voilà je suis beau, beau, beau.

MEIN KAMPF EN SCOPE COULEUR

La critique de la négritude classique, formulée sur un horizon utopiste écolochic par un Fodé Diawara (cf. *Le Manifeste de l'homme primitif*, Grasset, 1972), accentue le mal. Elle s'escrime à naturaliser les données du corps noir par des justifications d'ordre esthétique (évacuant l'arbitraire socialement déterminé des jugements de valeur en ce domaine) ou d'ordre climatique et métaphysique.

JUSTIFICATION DE LA COULEUR PAR UN CRITÈRE D'HARMONIE:

«Je remarque, en passant, que le choix par l'"homme primitif" de la couleur noire pour son épiderme répond encore à cette volonté d'harmonie entre l'homme et le Tout: la couleur noire est la seule qui se marie en effet merveilleusement bien avec toutes les autres couleurs du spectre solaire».

Comme si le noir n'avait nul contenu imaginaire. Que nous n'étions pas avant tout en présence d'une couleur investie par un travail idéologique. Comme s'il pouvait y avoir matière à réplique au niveau de ma banale surface épidermique, alors que l'essentiel se joue dans les couches de représentation qui viennent s'accumuler sur mon corps.

JUSTIFICATION DE LA CHEVELURE PAR UN CRITERE METEO:

«Ainsi la chevelure rase de l'homme noir ne serait qu'un caractère secondaire répondant aux conditions tropicales»

déclare encore Fodé Diawara, à son corps défendant, parlant la langue du maître, avec l'accent du maître, me renvoyant avec l'élan du coup renouvelé toute la charge dénégatrice de cette langue, toute sa force meurtrière, dans une pseudo-scientificité péremptoire qui ne trouve aucune difficulté à se transformer en gag devant tel poster de Bob Marley.

Or ce «Manifeste» d'un seul homme, air de la différence sifflé en solitude majeure, n'a pas manqué d'être accueilli avec enthousiasme par une certaine critique parisienne. Il faut dire que la thèse centrale de Diawara a tout pour flatter le masochisme d'un intellectuel français culpabilisé par la politique historique de la droite française. Cette thèse, la voilà, au détour d'une page, claire, nette, tranchante:

OU MEIN KAMPF EN SCOPE COULEUR:

«Si je nie qu'il existe des races humaines, c'est-à-dire des groupements humains dotés par la nature de potentialités spécifiques qui les différencient définitivement les uns des autres, je conçois par contre que certains groupements humains sont passés par des stades d'évolution biologique dont d'autres sont encore forts loin. Et c'est là que se situe l'originalité de ma thèse, car contrairement à l'opinion unanime, je prétends, et je m'en expliquerai plus bas, que les caucasoïdes (ou Blancs) sont le groupe humain le moins évolué.»

Réactivation, au nom d'un capital de douleurs accumulées, de cette prétention de maître par excellence : celle de la *bonne* différence, qui devient vite la *meilleure* différence, traînant dans son sillage – hiérarchisation oblige – la subordination des *mauvaises* différences ou, pour rester dans la terminologie de Diawara, des *moins évoluées.* Indéfendable, malgré, à cause même de l'hypothèse d'une soi-disant « spiritualité noire » que caractériserait tout naturellement une recherche de vie sans rapports de pouvoir. Inacceptable, même si de toute façon l'actualité féroce du racisme renvoie cette fantasmatique de « peuple élu » à sa vanité misérable de fable grandiose.

Et d'ailleurs comment lutter contre le racisme en conservant intacte une de ses plus épaisses conditions de possibilité, en sauvant son ordre, en continuant à donner une matière à cette miteuse question qui enracine les sujets dans une donnée de nature : *comment reconnaître un noir ?* Que l'on y réponde par des éléments de reconnaissance positifs ou négatifs ne change rien à la valeur mystifiante de l'interrogation elle-même.

Faut-il, encore aujourd'hui, à l'endroit de l'Internationale des Chantres de la Négritude, et de la Société des Amis des Nègres, répéter Frantz Fanon : « Il n'y a pas de mission nègre ; il n'y a pas de fardeau blanc. » Sans que tout de suite pointe à l'horizon le chantage auquel très peu résistent : tu trahis, tu fais le jeu de, tu es mal dans ta peau, tu te fourvoies, tu désespères Harlem... Bref, puis-je souhaiter à haute voix que la droite française se démerde toute seule avec son histoire ?

LE RETOUR DU MAÎTRE DE MUSIQUE

Je dis « droite française », non par facilité militante, réduction bipolaire du champ idéologique en France, mais parce que l'héritage colonial est effectivement son œuvre. Cette commodité de langage, on en perd vite le bénéfice, à considérer le fonctionnement d'ensemble, aujourd'hui, de la représentation du Noir. Les projets politiques conscients comme les intentions morales individuelles sont de peu de poids dans la balance où pèse le corps noir. Les nuances de forme – certes non négligeables dans la mesure où elles induisent probablement des effets de neutralisation relative de la vision du monde raciste ou, à l'opposé, des effets de renforcement –, n'autorisent pas à soutenir quoi que ce soit quant au degré de gravité, ici où là, des discours qu'elles portent. L'impact matériel de ceux-ci, visible, n'en reste pas moins impondérable.

La littérature critique de jazz fournit, sur ce plan, une source d'illustration intarissable. D'autant plus intéressante qu'elle porte principalement sur des musiciens américains, c'est-à-dire sur des « transplantés » dont le processus d'inscription à une formation sociale non africaine est perpétuellement oblitéré. Au-delà de la reconnaissance valorisante d'une musique où les damnés de l'Amérique ont magistralement écrit leur histoire, les points de vue dominants dans la critique de jazz participent du dépôt de fantasmes sur le corps noir et contribuent ainsi, en confortant des illusions essentialistes, à ouvrir, à creuser la blessure. À la maintenir vive, toute sympathie s'abolissant dans son élan même, impensé.

De *Libération*, où paraît tel compte rendu d'une prestation à Paris de Kahil el Zabar dont l'auteur ne manque pas de signaler par ailleurs le *travail* remarquable avec les musiciens de *Chicago*, mais pour finalement le nier…

> « Il ne s'agit jamais de "performance", mais de quelque chose de simple et de dense sorti de la mémoire ancestrale. Les têtes s'envolent, voyagent. La sienne se balance, ponctue. L'Afrique est proche. Les rythmes, l'appel des voix, nous plongent directement dans la forêt. C'est une sorte de cérémonie rituelle qui se déroule sous nos yeux. La musique, sereine, violente, enveloppante, reste toujours dans le magnifique […] Un moment rare qui peut faire comprendre pourquoi le jazz, le blues sont musiques noires, jamais l'émotion balancée par ces musiciens n'atteindra une telle force quand elle sera jouée par d'autres. Question de racine. »
>
> (« L'envoûtement », par Philippe Conrath, *Libération* du 13 octobre 1978.)

… À ce commentaire inspiré par l'histoire du jazz, où le même gommage de la musique en tant que production accompagne le même type de rabattement d'un vécu culturel, daté, historicisé, sur l'origine raciale :

> « Kansas City, c'est le cadeau du jazz pour son trentième anniversaire. Trente ans, c'est jeune pour une musique. Les intellectuels vont commencer à se pencher sur le cas de cet enfant prodige. On va déverser sur lui des flots d'encre, et même de bile. Mais il continuera son chemin, porté par les forces vives de l'âme noire. Et, d'année en année, le nombre grossira de ceux qui viendront lui demander ce que n'offre aujourd'hui aucune autre musique : le rythme même d'un cœur qui bat. »
>
> (« La naissance du jazz », vue par Hugues Panassié et Michel Perrin, dans *Le roman vrai des années folles* de Gilbert Guilleminault, Paris, Denoël, 1975.)

Je revois ces danseurs zoulous, xhosas, sawsi, un jour d'été à Paris, sur la scène de l'Olympia. Hommes et femmes soustraits, l'espace de quelques pas diplomatiques, au broyage de l'apartheid (l'idéologie de la différence poussée à son terme logique). Je relis cette chronique dans *France-Soir* (23 août 1975) :

> « IPI TOMBI [nom du groupe]. LE RYTHME À L'ÉTAT PUR. Ils sont très beaux et très vivants, mais ce qu'ils ont surtout, ces danseurs d'Ipi Tombi, c'est l'instinct naturel et spontané du rythme. Une chose rare, qui ne s'apprend pas et contre laquelle on ne peut (rien) sauf se laisser envahir... La troupe... avec ses filles noires exubérantes et ses garçons sensuels et noirs... Des figures modernes qui ressemblent à celles de leurs frères d'Amérique du Nord... »

Bla bla bla bla... De quoi je me plains, moi, Noir, si on m'aime!? Je ne me plains pas. Je prétends seulement qu'il n'y a pas plus de raison de m'aimer que de me haïr en tant que Noir. *Que la solution amoureuse, loin de constituer une alternative au racisme, n'est pas autre chose que le racisme lui-même. Que pour moi, entre l'amour des nègres et la haine des nègres, il se pourrait bien qu'il n'y ait qu'un fil, mince; et que, à le suivre jusqu'au bout, on débouche sur le territoire idéal de l'ambivalence : l'étreinte spectaculaire sur horizon de meurtre.*

Évoquons l'histoire que raconte, à l'aube du XVIIe siècle, Miguel de Cervantes : la légende du maître de musique. Cela se passe en Espagne, en Estrémadure…

Serrant d'une main troublée
La grille d'une fenêtre,

chante Louis le nègre. Enfermé par son maître – Philippe le vieillard de retour de Carthagène des Indes (au Pérou) après vingt ans d'absence, riche de 150 000 piastres et de cheveux d'argent, enfin sorti de l'exil colonial, « refuge ordinaire des Espagnols désespérés, église des banqueroutiers, sauf-conduit des homicides, paravent de ces brelandiers que les habiles connaissent pour pipeurs, appeau des femmes libres, salut particulier d'un petit nombre et leurre commun du plus grand », Philippe l'amoureux ayant enlevé la belle Léonore, treize ans, à ses parents, ayant acheté une splendide maison à 12 000 ducats, une demi-douzaine d'esclaves (quatre Blanches qu'il étampa au fer rouge et deux négresses qu'il fut inutile de marquer) et Louis l'eunuque qu'il emprisonna dans un grenier au-dessus de l'écurie – ce dernier se lamente :

> « Je ne chante pas mal, dit le nègre, mais à quoi me sert de chanter si je ne connais pas une seule chanson… »

Il exagère. Il en connaît quelques-unes, mais des blanches. Survient le maître de musique, l'un des premiers chantres européens de la *différence noire*, Loaysa :

> « Tout ceci n'est que du vent à côté de celles que je vous pourrais apprendre. Car je sais toutes celles du Maure Abindarraez avec celles de sa dame Xarifa et toutes celles que l'on chante sur l'histoire du grand Sophi Tomumbeyo et celles aussi de la sarabande sur des sujets sacrés qui sont telles qu'elles font pâmer jusqu'aux Portugais eux-mêmes ».

Jusqu'aux Portugais ! ? La référence alors pesait lourd. Loaysa le jeune rôde autour de Léonore la tendre, elle aussi, elle surtout, enfermée dans la maison où Philippe le jaloux ne consent même pas à laisser entrer un animal de sexe masculin, pas question. Loaysa, « fils de riche, oisif et fainéant », va tenir au vieux castrat le discours de la démagogie :

> « … j'ai ouï dire que vous avez quelques dispositions et à ce que je crois juger par l'accent de votre voix, qui est justement accordée, vous devez fort bien chanter. »

Mais il faut, chacun le sait, avant d'arriver à sortir d'une guitare quelques sons supportables, vingt fois sur le métier… Mais le maître de musique a fourbi ses arguments :

> « Et je les enseigne par de telles méthodes et avec tant de facilité que, dussiez vous n'y mettre aucune diligence, vous vous verrez, dans le temps d'avaler trois ou quatre muids de sel, musicien accompli et expert en tout genre de guitare. »

Le nègre pousse un soupir.

Et se laisse amadouer. Loaysa avait préparé la chose, de sérénade en sérénade. L'oreille de Louis s'est aisément laissé convaincre… « si grande est l'inclinaison des nègres pour la musique ».

L'ami des *morenos* (les personnes dites « de couleur ») peut ainsi pénétrer dans le Saint des Saints. Il débauche tout le monde, épouse, duègne, esclaves et servantes.

Philippe le cocu ne survit pas à l'expérience de sa vigilance prise en défaut.

Léonore la simple entre au couvent.

La duègne est punie.

Louis et les autres découvrent la liberté.

Le maître de musique suit le chemin des maîtres : il s'embarque pour le Nouveau Monde.

> « Et moi, conclut Miguel de Cervantes qui va droit à l'essentiel, je reste avec le désir d'en arriver au bout de mon histoire,

exemple et miroir du peu de fiance qu'il faut mettre en clefs, tours et murailles, alors que la volonté demeure libre...[2] »

Retour aujourd'hui du maître de musique? Il n'est pas bien méchant. Il est même, en un sens, libérateur. Mais il est vite pris au piège de sa courte vue. Et il finit mal: dans la peau d'un maître tout court.

HORIZON DU MEURTRE

L'âme qui circule entre la bouche et l'oreille. Le branchement universel de l'« homme noir » sur l'humus africain où pousse l'arbre du génie corporel. Le sens du rythme dans les reins, la souplesse, la spontanéité. Tout ça décrit un espace symbolique de non-travail, lieu de l'animalité et de l'instinct. Se développant en musique...

... COMME AU THÉÂTRE :

« Lisette Malidor a rétabli le partage. Elle joue Claudel l'après-midi, et se déshabille le soir au Moulin-Rouge... Lisette Malidor n'a jamais été comédienne auparavant, pas plus qu'elle n'a pris de cours d'art dramatique. Mais elle a cette sensibilité immédiate, une intelligence quasi animale de son personnage. »

(« Lisette le jour la nuit », par Pascal Dupont, *Les Nouvelles Littéraires,* n° 2652, du 14 au 21 septembre 1978.)

... COMME DANS LES SPORTS :

« En réussissant 10,35 secondes au 100 m, à 20 ans, Panzo prouve des dons naturels pour le sprint, comme tous les Antillais... Panzo est un coureur d'instinct. Pour l'instant, il ne modifie pas sa position de course naturelle, mais dès qu'il aura l'impression de faire du "sur-place", il la travaillera pour gagner quelques centièmes de secondes. »

---

2 Dans *El celoso extremeño*, 1613. Nouvelle parue dans le *Cervantes* de « la Pléiade » (NRF, Gallimard, 1949) sous le titre : *Le jaloux d'Estramadure.* Texte original dans *Novelas ejemplares* (Genève, éd. Ferni, 1973).

(« Qu'est-ce qui fait courir Herman Panzo ? », par Jean Haltzfeld, *Libération* du 4 septembre 1978.)

Comme si le plaisir procuré par un beau concert de jazz, le jeu d'un(e) comédien(ne) noir(e) ou une performance sportive quelconque n'étaient portés par aucune pratique concrète, aucune douleur (au sens où le travail est étymologiquement lié à la torture : *tripalium*). Peiner sur des partitions ou s'essouffler hors écriture ; transpirer à des répétitions, mémoriser un texte, le *gestualiser*, lui donner une voix, participer à la mise en forme d'une mise en scène ; se payer plusieurs heures d'entraînement physique – tout ce processus de *fabrication* s'évanouit magiquement dans la broussaille luxuriante, le jaillissement exotique du corps noir.

Comme si la « Vieille Taupe », soudain, ne creusait plus. Car cette occultation du travail est évacuation du temps (de travail). Volonté inconsciente de gommage de l'Histoire – au nom d'une pureté originelle qui n'est jamais que celle du *bon sauvage.* Ce qui est ainsi *donné* pour vivant, pour la vie elle-même, se trouve dans ce même geste de générosité – incontestable, là n'est pas la question – *repris.*

Le corps noir, immobile, est un corps mort.

Chaque « ami des Noirs » (l'anglais dit mieux : « negro-lover ») se place alors, malgré lui, dans cette situation paradoxale : d'un meurtrier qui s'ignore. L'être aimé, doué d'un corps-âme précisément balisé, circonscrit, échappant à toute contingence, n'existe tout bonnement pas en tant qu'être singulier. N'existe pas en tant qu'être pris dans une histoire et un rapport à l'histoire, toujours singulier. En un mot, n'existe pas en tant qu'être humain tout court.

Tout se tient. L'absence de travail, son peu d'utilité là où il faut normalement effort et application, n'est que proximité de la sphère animale. C'est par le *faire* que se fonda l'humanité et que se formèrent la connaissance et la raison. Ces dernières valeurs, comment le nègre, être pétri(fié) d'émotion – comme la femme, d'intuition – pourrait-il en être doté ?

La négritude a trouvé il est vrai une issue au dilemme :

« ... l'émotion, *souligne sans rire Senghor,* sous l'aspect premier d'une chute de conscience, est au contraire l'accession à un état supérieur de connaissance. Elle est conscience du monde, une certaine manière d'appréhender le monde. Elle est connaissance intégrale, car le sujet ému et l'objet émouvant sont unis dans une synthèse indissociable, je le répète : une danse d'amour. »

(*Liberté I : Négritude et humanisme*, Seuil, 1964.)

Au nègre, reste encore heureusement le labeur des rêves, objets peu échangeables dont il fallait bien s'attendre à ce que le monopole lui soit confié. Je n'arrête pas d'en produire, des rêves. Je ne fais même que ça. Je dors, je dors. Vous reprendrez bien un peu de mes cauchemars ?

DAS KAPITAL PUNISHMENT

L'émotion est nègre dit Mister Jazzbiz exhibant un superbe car de danse, esqu issant un terrible pas de flic, le bon heur de mes fesses c'est tronc d'arbre creusé & peau d'cabri, boyaux d'oiseau calebasse fendue, sage préhistoire de mon compte d'Amérique, mon oncle en ba nque scottjoplinant, dixielandant, fol kblouzant, classicblouzant, coolant, h ardbopant, freejazzant, fricjazzant, f rites saxant, fric fraquant, fric claq uant des dents, se cassant les dents s ur un dernier accord damné à mort, ine xécutable, les mômes-sons c'est nègre dit-il étalé au sol: poupap dada weeh, waaaah!

LE RIRE DE L'ESCLAVE

On entend l'écho d'une voix d'outre-tombe: « Oh yeah! »

Je la reconnaîtrais entre mille... Le rire de l'esclave, le maître a toujours tenté de le vendre, avec quelque succès. Génial, Louis Armstrong en a poussé la production à un niveau de spontanéité industrielle et de rentabilité rarement atteint. Automatisme de la machine parfaitement rodée: au moindre déclic d'un appareil photo, au moindre signe de mise en route d'un projecteur, mille candies de bonne humeur fusent de la bouche-trompette, du corps de l'homme-trompette, déferlent sur la planète, s'amoncellent dans les cerveaux. Et sautent les tiroirs-caisses !

Clic, clac, smile Satchmo.

Derrière l'imagerie Banania, l'esclave rit pour tout de bon.

Le maître tient les contes, et compte.

TOUTES LES VERTUS CONFEC-
TIONNÉES SUR MESURE POUR
LES NÈGRES SONT GARANTIES
ACIER INOXYDABLE EN VENTE
À LA SAMARITAINE

TARZAN ET LES TIRAILLEURS

Le corps noir est un phallus. Force de l'arbre, de la forêt, en moins maîtrisée. Brutalité de la bête, sans désir, domptable par la civilisation.

Comparer les récits classiques de batailles tribales en Afrique et certains reportages modernes sur les guerres civiles dans ce continent. Férocités d'une soldatesque mal encadrée ou prompte à déborder l'encadrement occidental. Rut désordonné, analogue à certaines scènes largement diffusées par les films de Tarzan – ce héros qui maîtrise mentalement le double espace européen et africain, et techniquement ce dernier ; se déplaçant dans la jungle, en un ballet de trapéziste, ingénieur des lianes ; tandis que ceux qui n'ont que leur instinct suivent les pistes étroites, file docile de nègres corpulents portant bagages, singularités ethniques contenues, à la première alerte c'est la pagaille, le naturel revenant au galop ; jusqu'à ce que tout rentre dans l'ordre, de nouveau les indigènes à la queue leu leu, fin de la dispersion, retour à l'instable unité, au rectiligne provisoire, au potentiel de mort contrôlé.

Naguère Frantz Fanon s'en prit à Michel Cournot qui n'avait pas hésité à écrire dans *Martinique* (Gallimard, 1949) :

> « L'épée du Noir est une épée. Quand il a passé ta femme à son fil, elle a senti quelque chose ; c'est une révélation. Dans le gouffre qu'ils ont laissé, ta breloque est perdue. À force de ramer, mettrais-tu la chambre en nage, c'est comme si tu chantais... Quatre Noirs membre au clair combleraient une cathédrale. Pour sortir, ils devront attendre le retour à la normale... »

Image virtuelle du nègre bandant: le nègre violeur. Connu. Un tel énoncé, malgré la pratique personnelle de son auteur, est raciste. Et l'idée aberrante de la puissance sexuelle particulière du Noir induit des impacts sociaux concrets. Des fictions judiciaires de viol tournent massivement autour de ces représentations, les exemples ne manquent pas. La mobilisation féministe aux USA et en France autour du phénomène, dans la mesure où elle met l'accent sur les rapports de pouvoir politico-sexuels qui déterminent l'agression mâle, contribue en ce sens à fracturer fortement la vision du monde raciale. Une vision qui, comme le fait du viol, reste négation des corps qu'elle investit.

Tarzan, héros asexué. Opposé à la figure du Phallus par excellence, dont le cinéma pornérotique d'aujourd'hui propose de nouvelles silhouettes. Tel dans *Emmanuelle 2,* ce professeur de danse noir promu foutreur de Sylvia Kristel. Au moment de l'« action », le spectateur ne le voit pas. À la place, défilent dans une boîte à images quelques caricatures de bites en folie, sous le regard de Sylvia-Emmanuelle penchée, offerte, tournant le dos (et le reste) au pénis de service. Sur la bande sonore du film, les gémissements de l'actrice censément en pâmoison. Éjaculation ? Ellipse.

Négations en chaîne de *tous les désirs.* Dans une sphère symbolique où les tirailleurs, d'être sénégalais, sont mille fois plus tirailleurs ; où les mercenaires, qu'ils exercent leur virilité contre les barricades de mai 68 en France ou sur la scène africaine, concentrent, avec un effet multiplicateur, toutes les violences sociales dispersées, loin des énoncés équivoques, dilués, fades, en trois syllabes noires à souhait : KA-TAN-GAIS.

Déplacement de langage révélateur du risque, toujours possible : que l'image propre et blanche (Tarzan), passant à travers le dispositif optique du maître, ressorte de façon inattendue avec des *franges d'interférence* – alternance de raies claires et sombres produites par superposition de radiations – et, du coup, se rapproche de l'image sale et noire (les tirailleurs).

FAIT DIVERS : UN FLIC TABASSE UN FRANÇAIS ET LUI LANCE : « T'ES COMME UN BOUGNOULE. »

(Rapporté dans *Libération,* 27 octobre 1978.)

Cet imprévisible ne cesse de guetter Cournot ou n'importe quel Blanc à chaque coin de rue. Cet horizon brutal du *comme* – l'invention de la différence, saisie dans l'éclair d'un coup de matraque bien ajusté – constitue bien une menace pour toute l'humanité.

Et c'est là qu'apparaissent également les limites de l'antiracisme et de l'antisexisme juridiques, consistant à opposer à l'expression des stéréotypes une demande de répression toujours plus forte, toujours plus aveugle au fonctionnement politique du droit, aux formes les plus insidieuses du racisme et du sexisme – le thème de la différence étant devenu la tarte à la crème du libéralisme antiraciste et antisexiste lui-même ; le glissement du droit à la différence au droit à la hiérarchisation des différences étant l'impensé actif de la société bourgeoise porteuse du droit au choix. Dilemme : l'annulation du respect de la différence dans la répression des libertés. La reconduction têtue du Même, au nom de l'Autre. Le vieil Occident en train de réinventer dangereusement ses limites.

LE CORPS NOIR AU FÉMININ

Bite, bête, ... la banane dont l'image s'imposa dans les années folles, avec l'accessoire n° 1 des revues nègres, la ceinture dite de bananes, couvre un champ sémantique et symbolique très vaste. Générateur fantasmatique inépuisable. Au choix : Joséphine Baker transpercée par les phallus qu'elle arbore, ou les suçant tous à la fois (grâce à la bouche emphatique) ; Joséphine Baker grimpant à un arbre-pénis en fleur, ou pelant goulûment des bites mûres (complicité avec le singe de Tarzan)... Aux hanches de la danseuse, solidement accrochée, cette chaîne survirilisée comble ce qui, chez la femme, tragiquement fait trou et du coup offre un support pulsionnel idéal. Question à dix francs : quelle est la meilleure posture pour violer Joséphine avec une banane dans le cul ?

Le corps noir au féminin présente le pôle négatif, le réceptacle naturel, du super-phallus. Le vagin y est abîme. Particulièrement brûlant, si l'on en croit tel personnage du film de Jean Eustache, *La maman et la putain.* « Trou noir », comme on dit en astronomie pour désigner cet énigmatique linceul spatial où disparaissent les étoiles mortes, sorte de poubelle céleste non identifiée dont certains experts assurent qu'elle risque un jour d'avaler la Terre elle-même. Trou cannibale.

Avec sa face convexe qui sous-tend tout un programme imaginaire : le « cul de (la) négresse », en langage courant. Version puritaine, côté maman : il est gros, stéatopyge – avec un prototype célèbre, la Vénus hottentote ; la régression peut s'y développer à loisir – nounous sévèrement vêtues pour mâles rêvant à leur mère dans les abysses insondables d'une paire de fesses dérobées à la vue. Version permissive, côté putain : il est de dimension moyenne – avec variantes ordinaires, culs ronds, culs pointus, culs carrés, consistances diverses, variétés du grain de la peau ; d'être autorisé à le voir, l'œil du maître peut rappeler l'imagination à plus d'objectivité.

Gérard de Villiers n'en croit pas ses yeux : « Très belle pour une Noire ». Dans *Kill Henry Kissinger,* le fabricant des S.A.S. n'y va pas de cliché mort :

> « [...] Elle mit un disque de musique brésilienne sur l'électrophone et vint vers lui en dansant comme seules savent le faire les Noires [...][3] »

Eustache et *Emmanuelle!*? Senghor prix Del Duca 78 et *Tintin!*? La langue des astronomes et Villiers!? Oui. Le meilleur rapproché du pire, pour suggérer qu'une bonne partie de ce qui se dit, s'écrit, se filme, avec ou sans qualité intellectuelle, avec ou sans bonne foi, à l'insu des auteurs ou par effet de tiroir-caisse, répercute le même message de fond.

Un message qui, jadis émis du centre européen et de la périphérie coloniale par les classes hégémoniques qui y avaient sans conteste intérêt, revient en boomerang, à peine transformé. Entretenu par les mille et un relais d'une culture marchande mondialisée.

Le cinéaste brésilien Carlos Diegues propose *Xica da Silva.* Où l'on voit une esclave noire gravir, grâce à une recette orgasmique secrète, tous les échelons de la réussite sociale, jusqu'à trôner en reine dans le palais d'un colon portugais éperdu d'amour. La mise en scène prend soin de ne livrer aucun détail susceptible de mettre les curieux au parfum. Xica provoque son homme, le traîne hors champ, et nous n'entendons plus que les cris de plaisir de l'amant gâté. C'est tout. Formule rigoureusement étudiée pour

3 Nous reviendrons en détail (cf. IIIe partie : *De main de maître*) sur l'image du Noir chez Gérard de Villiers. Quant à Cournot, parlant de la Martinique : « Et les femmes ? De vraies embuscades... Pour ne pas m'étendre : On se croit cinquante, là-dedans, et ce sont des spasmes en chaîne, par paliers, et à n'en plus finir... » (*op. cit.*)

être efficace, dans un récit qui engrène légendairement sur le corps noir, avec juste ce qu'il faut de légèreté de traitement pour désamorcer le sérieux critique. Illustration de l'illusoire : la miteuse idée de l'ascension individuelle par la débrouille ; et l'image d'un Brésil intégré où les nègres n'auraient qu'à mettre en œuvre leurs trésors naturels (les Xica, la différence fondante de leurs caresses – comme Pelé, la magie de ses jambes).

Tu viens, chéri ?

PROBLÈME D'ARITHMÉTIQUE POUR ÉCOLIERS FRANÇAIS DE L'AN 2000

Sachant que:

1. selon un communiqué publié par l'Union des Étudiants Ivoiriens à Paris le 6 octobre 1978, la distribution d'un tract à Abidjan contre la hausse du coût de la vie provoquait automatiquement 100 arrestations arbitraires;
2. au même moment, l'absence de tout acte subversif de ce genre à Port-au-Prince ne suffisait pas pour faire libérer un nombre égal de détenus politiques;
3. toujours au même moment, reçu bruyamment par les autorités de Sao Paulo, au Brésil, le président de la République française ne put guère entendre les cris de 213 prisonniers d'opinion adoptés par Amnesty International.

Pouvez-vous:

a. évaluer le degré de noirceur du pouvoir ivoirien par rapport au pouvoir haïtien;
b. évaluer le nombre de décibels auxquels il a fallu amplifier les discours de réception du chef de l'État français, en vous rappelant que les États-Unis du Brésil comptaient alors plus de 100 millions d'habitants et que ceux-ci – ce pays, comme l'affirmait le général de Gaulle, n'étant « pas sérieux » – devaient aussi faire beaucoup de bruit.

Facultatif:
M. Giscard d'Estaing n'avait-il alors rien à se reprocher ?

(N.B. Les calculatrices électroniques de poche sont formellement interdites.)

QUERELLES

S'il est noir, c'est qu'il est sale. Quel fabricant de lessive commanditerait un message publicitaire vantant les mérites de sa marchandise avec une ménagère noire ? N'importe lequel. Il suffit qu'une cible existe : une communauté noire d'acheteurs. Mais l'espace de la métaphore hygiénique sera interdit au corps noir. Imaginez le chevalier Ajax à l'image du diable, all black. Non-sens symbolique.

Car fonctionnent mieux que jamais les résidus du racisme traditionnel. Celui qui, dans l'histoire de la médecine par exemple, aura poussé tel docteur à émettre sérieusement des « Considérations touchant à l'influence des races sur le résultat des opérations chirurgicales » (*Gazette de médecine et de chirurgie,* 1865). Le racisme qui trame les idées reçues en matière de santé publique : hier, la confusion du pian et de la syphilis, maladies qui, pour produire les mêmes réactions sérologiques, n'en restent pas moins fort distinctes ; aujourd'hui, la réputation des immigrés comme porteurs de tréponèmes – le grand péril vénérien à Paris venant, comme chacun sait, des territoires immoraux de la Goutte-d'Or, dans le 18e arrondissement. Le même racisme qui, à l'occasion de la transplantation du cœur d'un jeune métis dans le thorax d'un Blanc en Afrique du Sud, provoqua des interrogations insensées sur une éventuelle incompatibilité raciale, paniques, angoisses, rejettera ? rejettera pas ?, sueurs froides, pensées inavouables... (cf. *Le second souffle de la vie,* par Pierre Bourget et Dr Claude B. Blouin, Laffont, 1978). Le même encore qui attribue aux Noirs une odeur caractéristique.

Au-delà de toute pensée rationnelle sévit l'idée profondément ancrée d'un corps sale. Intrinsèquement sale. Au-delà des rigoureuses observations médicales, des progrès scientifiques du XXe siècle, les mentalités en sont restées au délire. En un processus complexe où il apparaît difficile de remonter à un point originaire précis et impossible de prophétiser une fin, l'histoire occidentale aura gelé des terreurs archaïques dont on peut seulement assurer qu'elle n'est pas près de sortir.

VARIATIONS SUR UN THÈME

Or il faut prendre la mesure de l'ambivalence. Le noir est sale, le noir sent... mais, en même temps, ces particularités – à lui données une fois pour toutes – créent son pouvoir de fascination. Posé là, dans la force énigmatique de sa « couleur », le corps noir posséderait ce qui *manque* au corps blanc : la souillure dont la plate pureté de celui-ci gagnerait à se relever (au sens culinaire où je « relève » le goût d'un mets avec des épices) ; les ténèbres qui mettraient mieux en valeur sa somme de lumières ; la basse malédiction qui soulignerait toute la hauteur de sa grâce. Il ne s'agit jamais que d'utiliser l'Autre pour soi-même.

Et valsent les contradictions ! La présomption de supériorité sexuelle dont bénéficie le corps noir est à proportion du postulat d'infériorité esthétique et morale qui le frappe. Ce postulat d'infériorité entre-t-il vraiment en conflit avec les nouveaux clichés antiracistes, lesquels ne remettent nullement en cause ce qui constitue la démarche fondamentale du racisme : le nivellement et la normalisation des sujets dans un modèle, une figure (le Noir, le Juif, la Femme, l'Arabe). Il n'y a donc pas annulation d'une ancienne vision du monde par une nouvelle, mais déplacement. Et renforcement de complexité.

Là où, mettons, le *Journal général de Saint-Domingue* (1791) parlant d'une « superbe cargaison de 300 nègres » renvoie à une organisation de l'ordre colonial dans l'économie, dans la politique et dans la vie sociale, à un travail de maintien de cet ordre contre ce qui le menacerait, l'exclamation courante aujourd'hui du « superbe Noir » donne à entendre à la fois l'ordre et la menace. L'ordre – en son aspect esthétique – d'une région du monde qui aura soumis tout ce monde à ses canons (littéralement et dans tous les sens) ;

la menace que représente pour cet ordre le seul fait de valoriser ce contre quoi il sera institué. Dès lors plus rien n'est simple. Avant d'être un meurtrier, le *negro-lover* est un justicier. Le problème est qu'il ne varie jamais que sur le même thème. Ainsi le « superbe Noir » a-t-il de fortes chances de ressembler à l'Apollon du Belvédère, c.-à-d. de n'être beau qu'en fonction des mêmes critères, ou alors à peine modifiés, encore une fois *déplacés*. Voyez les photos de Leni Riefenstahl...

Et pourtant, pendant longtemps, des hommes qui avaient tout à redouter de l'idéologie qui faisait courir cette « amie des Noirs » nous ont transmis une traduction du *Cantique des Cantiques* de Salomon que Henri Meshonnic a été le premier, si je ne me trompe, à modifier :

« Je suis noire, MAIS je suis belle », lisait-on dans une version de la Bible traduite par Louis Segond. « Je suis noire, ET belle », peut-on lire aujourd'hui. À côté d'autres traductions : « Ô filles de Jérusalem, je suis brune, MAIS de bonne grâce, comme les tentes de Kédar, et comme les pavillons de Salomon » (par J.F. Ostervald) ; « je suis noircie, ô filles de Jérusalem, gracieuse POURTANT, comme les tentes de Kédar, comme les pavillons de Salomon » (par les membres du Rabbinat français). À moins...

... à moins qu'il ne faille lire, comme exacte, justement la traduction la plus classique, la plus courante ; et y trouver la confirmation, rapportée à travers les siècles, d'un racisme anti-noir dont les racines plongeraient encore plus loin qu'on ne le croit.

INTERPRÉTATION PESSIMISTE

Toutes les idées reçues sur le Noir s'enracinent dans une idée tenace de nature, donc.

Mieux : le Noir est nature. (Hegel : « Le nègre représente l'homme naturel dans toute sa sauvagerie et sa pétulance. ») La vague écologiste, réaction salutaire à la démence technologique occidentale, n'a pas manqué de produire comme effets négatifs secondaires la réactivation des stéréotypes sur le corps noir. Calcul habile du libéralisme éclairé : puisqu'ils rêvent de nature, on va leur donner du Noir. Pas une émission de variétés à la télé qui n'administre au bon peuple de France sa ration de danseurs nègres, Sheila et ses docteurs Devotion pour soigner en disco l'impuissance des téléphages moroses[4].

Banania, c'était le bon vieux temps de la coloniale. Il faut réactualiser tout ça, adapter, améliorer : un *aggiornamento* qui se garde bien de toucher au fond de la question. Aux consommateurs grugés par la machine industrielle, on sert à doses prudentes du Noir sans colorant.

« Un téléviseur couleur AUSSI peut être beau », proclamait cette publicité où une négresse à poil servait de faire-valoir à un récepteur design. De ce passé récent, faisons vite table rase ; le même placard change le slogan en : « Beau COMME un téléviseur couleur ». Ça vous plaît comme ça ?

« Les Français n'ont pas de pétrole, MAIS ILS ONT DES IDÉES », s'époumonait le coq gaulois, entre deux cocoricos. Il le dit maintenant autrement, nullement convaincu du ridicule de la chose : « Les Français n'ont pas de pétrole. ALORS ILS ÉCONOMISENT L'ÉNERGIE ».

Le lubrifiant moderniste assourdit le bruit du dispositif idéologique raciste.

Ceux qui font la guerre aux décibels auraient bonne mine de râler.

Ceux qui ne cherchent qu'à noyer leur déprime dans les décibels n'y perdent rien. La vieille machine n'est pas mise au rebut. Elle est toujours là, plus pimpante que jamais.

INTERPRÉTATION OPTIMISTE

Allons, ne sois pas parano.

Une nouvelle ère du soupçon a commencé. Une critique sémiologique de masse s'insinue dans les cerveaux, débusquant ici et là, dans des recoins jusque-là ignorés, pas mal d'ordures.

---

4 Au moment où je relis mon manuscrit, Sheila danse avec – non plus trois nègres, mais – trois négresses. Elle garantit finalement sa supériorité absolue, les mâles noirs ayant fonctionné comme accumulateurs – le show-business, increvable dynamo ! Trois négresses après trois nègres ? Le Sens, la chronologie lexicographique est respectée – apparition du mot « négresse » après le mot « nègre ». Quant aux docteurs Devotion, ils tentent leur chance seuls à présent : survêtes de supermen, baskets tout ce qu'il y a de plus sport, cravaches extralongues : violence plus souplesse, en avant la zizique !

Les 200 millions de Noirs, plus les 6 millions de Juifs, sacrifiés à l'autel de la barbarie, commencent à produire des effets positifs. La barbarie recule. En gros, les temps changent dans le bon sens. Bien sûr, rien n'est gagné. Il ne fait pas bon être Noir à Johannesburg. Il vaut mieux ne pas être Juif à Leningrad. Mais en gros, je te le dis, les temps changent dans le bon sens. Répète après moi : en gros, les temps changent…

Le jour où le maître aura tout récupéré, tout avalé, il en mourra peut-être d'indigestion. Pour le moment, je fais des ronds de fumée. Cigare au bec. « Nom : Café Noir. Origine : Henri Wintermans Hollande. Adresse : dans tous les bureaux de tabac. Composition : tabacs du Cameroun, de Java et de la Havane. »

« Dans un concours qui a eu lieu dans l'État de New York, le nègre Sam Makliff s'est classé premier en cirant 523 paires de chaussures en 5 heures. Il a pu réussir cette performance grâce à l'emploi du merveilleux cirage français LE LION NOIR. » (Légende de l'affiche originale.)

PUISQUE DIEU EST MORT

Admettons, le Noir est superbe. Il échappe ainsi à l'idée de monstruosité, qui suppose une anormalité possible par rapport à un parangon souple. « Tous les Noirs se ressemblent » – à l'écart de cette variété infinie que l'on retrouve chez l'espèce humaine. Une bête n'est pas monstrueuse ; ou si elle l'est, elle n'entre plus dans une catégorie finement répertoriée : c'est simplement un monstre. King Kong n'est pas à proprement parler une bête.

C'est à devenir monstrueux que le corps noir accède à une humanité certaine. Dépasse l'indifférencié originel.

Porgy, dans l'opéra *Porgy and Bess,* est infirme : un tronc sans pied. Il perd alors, tribut obligé, le meilleur de ses attributs de nègre. En tout cas, Bess l'abandonne. Et pour qui ? Pour un vrai : Sportin'Life, admirez le nom. Sportin'Life, le petit trafiquant de drogue, le nigger aventureux du Nord, le junkie irresponsable et cabotin, le symbole marginal de la mégapole industrielle, style petit pusher de Harlem, fringué avec recherche, démarche sophistiquée, claquement des doigts, hey man ! Il part vers le Nord avec Bess, profitant de l'incarcération de Porgy. Les amants fuient dans ce monde infernal moins chaleureux que le Deep South où la justice, clémente !, finit par relaxer Porgy, lequel part à son tour à la recherche de son amour perdu. Fantasme de wasps évolués (George et Ira Gershwin fascinés par la culture négro-américaine et la rabattant sur la musique savante européenne) : imaginez un peu ce qui risque d'arriver au pauvre bougre débarquant dans le tohu-bohu de New York City sur sa petite charrette traînée par une chèvre…

Bref, Porgy n'est pas un vrai.

Inversement, le corps blanc accède à la puissance sexuelle noire en tombant peu ou prou dans le champ de la tératologie. Qui dira les talents de la femme bossue ! Qui dira les vertus de l'aryen mâle affligé d'un sexe au dos !

La figure du bossu – à suivre son évolution à travers légendes et œuvres littéraires (Polichinelle, Quasimodo...) – n'est d'ailleurs pas sans rapport, toutes proportions gardées, avec la figure du Noir. Depuis que, Dieu mort, l'Occident flirte avec Satan, le bossu ne porte-t-il pas bonheur ? Il est recommandé de « toucher la bosse du bossu ». Les lois d'équilibre et d'harmonie qui caractérisent la Divinité ont, avec elle, foutu le camp. Progrès (ou régrès, comme on voudra) qui n'a pas manqué de finir par toucher le corps noir, lequel – ne logeant plus le diable – est devenu « beau comme le diable ». Corps étrange, surnaturel.

Corps à massacrer.

Montaigne qui, devant les appétits expansionnistes de l'Europe, eut le génie étonnant de s'écrier :

> « J'ai peur que nous ayons les yeux plus grands que le ventre, et plus de curiosité que nous n'avons de capacité. Nous embrassons tout, mais nous n'étreignons que du vent ».
>
> (*Essais,* Livre I, ch. XXXI, « Des cannibales ».)

Montaigne, premier défenseur des nains, des géants, des hommes porcs-épics, des cornus, des boiteux, des femmes à barbe, des hommes-troncs, des hommes-phoques, des sirènes et autres curiosités de la Création… qui disait :

> « Ce que nous appelons monstres ne le sont pas à Dieu, qui voit en l'immensité de son ouvrage l'infinité des formes qu'il y a comprises ; et est à croire que cette figure qui nous étonne, se rapporte et tient à quelque autre figure de même genre inconnu à l'homme. »
>
> (*Essai,* Livre II, ch. XXX, « D'un enfant monstrueux »)…

Montaigne a probablement éclairé par avance les limites du thème de la différence.

Cette différence est indéniable, lorsque l'on considère telle communauté liée par une somme d'histoire, un même vécu concret : elle est *culturelle*. Mais de là, la tendance dominante est irrecevable, qui consiste à en faire une affaire de *gènes*, vite organisée dans la catégorie de *race* dont le moins qu'on puisse dire est qu'aucune exigence scientifique ne la porte (voir à ce sujet Éloge *de la différence. La génétique et les hommes*, par Albert Jacquard, Seuil, coll. Science ouverte, 1978).

D'autre part, l'enfermement de populations immenses dans *une* différence, même culturelle, reste – sous le geste apparent d'une reconnaissance affirmative – la meilleure forme de dénégation des singularités locales et des mouvements d'interpénétration intervenant sur la base de rapports de domination. Et surtout, au-delà, la meilleure forme de dénégation de la différence irréductible des sujets pris dans leur(s) histoires(s).

Montaigne, non il n'a pas dit son dernier mot, que voici peut-être – volé à Plutarque, *De l'envie et de la haine*, relisez ce titre… et pourtant si propre à Montaigne, qui écrit donc ceci, j'applaudis dans une explosion de wa-wa :

> « La ressemblance ne fait pas tant un comme la différence fait autre ».
>
> (*Essais*, Livre III, ch. XIII, « De l'expérience ».)

On est loin de *Porgy and Bess*…

On est plus près de cette position contradictoire d'indifférence active – la seule qui me semble tenable –, marquée dans la langue populaire haïtienne où le terme de « nègre » recouvre à la fois le sentiment historiquement acquis de son corps et celui de son universelle humanité – tout autre corps devenant lui aussi noir, « nègre », fût-il d'un Blanc. Ce semblant de confusion apporte une précision remarquable : il a fallu trouver d'autres mots pour désigner les clivages sociaux, les positions économiques et les choix politiques.

Savoir subversif d'esclaves. Et gai, joyeux.

PETITE SURCHARGE PESSIMISTE

Plût au Ciel que le retour de Dieu, s'il survient, ne provoque quelque sinistre inattendu. Par exemple, que la bosse du bossu ne porte plus bonheur et que le Noir cesse d'être superbe.

LE CORPS NOIR NE FAIT PAS LE MALHEUR

La pigmentation offre une surface d'investissement imaginaire automatiquement praticable. Elle constitue le signe d'une hérédité maudite. L'étoile jaune naturelle du corps noir dans les camps de concentration du Capital :

> « Il y a six catégories d'ouvriers non qualifiés [chez Citroën]. De bas en haut : trois catégories de manœuvres (M.1, M.2, M.3) ; trois catégories d'ouvrier spécialisé (O.S.1, O.S.2, O.S.3). Quant à la répartition, elle se fait d'une façon tout à fait simple : elle est raciste. Les Noirs sont M.1, tout en bas de l'échelle. Les Arabes sont M.2 ou M.3. Les Espagnols, les Portugais et les autres immigrés européens sont en général O.S.1. Les Français sont d'office O.S.2. Et on devient O.S.3 à la tête du client, selon le bon vouloir des chefs. »
>
> (Robert Linhart, *L'établi,* éd. De Minuit, 1978.)

Ce tableau, repris de l'un des rares livres à rendre compte de la complexité-complicité des rapports entre le racisme et le nationalisme, sur fond de mondialisation des modèles capitalistes, montre le rôle de l'épiderme comme sélecteur idéal dans une structure d'exploitation et d'oppression. On notera que « les Noirs » forment, dans cette classification, la seule catégorie où la couleur pratiquement mange tout autre facteur de différenciation (culture ? religion ?...). C'est qu'à l'intérieur de la *classe*, intervient la surdétermination de l'œil du maître, cette survisibilité constituée pour un corps en mobilisant des acquis fantasmatiques anciens en vue de le modeler, de réussir en quelque sorte un coup dur et durable.

La métaphore de l'*ébène* dit bien la noire compacité de ce corps promis à l'échange. Elle ruine la problématique de « l'homme invisible » décrite par Jean Genet :

> « La première fois que je suis allé aux USA, comment vous expliquer ça ? Je passais en voiture, j'ai vu des noirs qui travaillaient, un peu comme les Arabes ici. Ils n'impressionnaient par l'œil bleu, la pupille de l'homme blanc : ils étaient invisibles. »
>
> (Entretien du 22 octobre 1977, à l'Université Nouvelle de Saint-Étienne. Retranscription dans la revue *Actuels*, mai 1978, p. 141-154.)

Le corps noir – dans une civilisation fondée sur le primat de l'œil, la dictature de la vue, la loi de la représentation – vivrait plutôt de l'évidence qui le tue. Dans le racisme ordinaire, le délit de « sale gueule » ne signifie pas autre chose. Ou alors, s'il faut lui concéder quelque invisibilité, ça ne peut être que celle de l'argent : la monnaie (qu'on bat), le papier (qu'on émet). L'intensité de sa présence aveugle. Le regard qui le crée est celui qui le nie. (Quel photographe américain recommandait doctement, si l'on veut obtenir de bons clichés d'un Noir, de *surexposer d'un diaphragme :* ça ne renvoie pas assez de lumière ?)

Pour ma part, je serais tenté de parodier le véridique mensonge bourgeois qui voudrait que l'argent ne fasse pas le bonheur, en disant : heureusement, le corps noir ne fait pas le malheur. Et n'aide même pas à le reconnaître. Car quand Genet ajoute :

> « Or, pour moi, qui n'allais aux USA que parce qu'il y avait des Noirs, c'était eux seuls qui étaient visibles, et les autres je n'ai pas pu les voir… » (*id.*)

il donne à lire, à partir d'une louable préoccupation de solidarité avec une minorité opprimée, le redoublement de vérités et de fictions qui sévit dans la problématique de « l'homme invisible ».

Les « autres », en tant que *corps blanc,* n'existent tout bonnement pas.

LE MEILLEUR NÈGRE

Allégorie de la différence ? À Port-au-Prince, dans les semaines qui précèdent les bamboches du carnaval, vous pouvez, chaque dimanche, rencontrer l'imprévisible. C'est un masque, porteur d'une boîte ornée de dentelles en papier multicolores. Il déambule à travers les rues de la ville en faisant tinter une clochette. De temps à autre, quelques jurons, gros mots, insultes aux badauds manifestent plus vigoureusement son passage. Le jeu consiste à l'arrêter et à lui demander, moyennant espèces sonnantes et trébuchantes, d'ouvrir sa boîte. Celle-ci peut contenir n'importe quoi : un animal rare, ou familier, ou répugnant ; une représentation érotique ou drôle ; ou simplement… rien. Ah, fantasmer sur du courant d'air !

Blanc, noir : les dés, dira le fataliste, étaient pipés à l'avance. L'opposition des couleurs, trop tranchée pour ne pas donner prise à la mise en corps d'une fantasmagorie infinie. Répulsion, fascination : les deux pôles de la représentation du Noir, en se télescopant, produisent un banal court-circuit. Non pas synthèse apaisante, contraires s'équilibrant, antinomies résolues. Black-out.

La lumière viendra-t-elle de Burgos ? De ce tableau curieux, à Covarrubias : *Transplante de S. Cosme y S. Damián.*

Le miracle qu'y raconte Pedro Berruguete, vers la fin du XVe siècle, fut une affaire en or. Jacques de Voragine en ayant propagé la narration, il aura inspiré nombre de peintres en Espagne, en Italie, en Allemagne – cette topographie recoupant, avec des débordements, celle de la peste future. En Belgique – où passe l'histoire noire, c'est-à-dire l'histoire de l'œil blanc, dont l'idéologie de la différence s'épuise à refouler la trame –, la corporation des chirurgiens-barbiers mettra un point d'honneur (pour la cathédrale d'Anvers) à donner la rime à ce motif pictural qui fit suer sang et eau Fra Angelico, à Florence (prédelle du retable du couvent Saint-Marc).

Voici la légende. Un homme blanc se mourrait, rongé par un cruel cancer à la jambe. Que faire? Les braves gens s'en allèrent déterrer un More fraîchement enseveli, lui coupèrent son membre, que les saints médecins grecs, Côme et Damien, greffèrent sur le malade... Voilà pourquoi, je pense, le nègre existe. Et que, tout compte fait, le meilleur nègre est le nègre mort.

II

LES MYTHES DU NATIONALISME NOIRISTE

Où le héros, après avoir évoqué, sur un air de ragtime, une scène d'exécution publique à Port au Prince, se transporte à Venise, fait un cauchemar atroce à Vichy, entonne un hymne national étrange, renie sa famille, découvre la France antisémite et reconnaît en Chester Himes l'un des nègres nus dont le souci n'a jamais été de correspondre au modèle fantasmatique du Nègre.

Il y a ma vie prise au lasso de l'existence.
Il y a ma liberté qui me renvoie à moi-même.
Non, je n'ai pas le droit d'être un Noir.

Frantz Fanon,
Peau noire, masques blancs.

CATALOGUE DES HORREURS

Se réveiller. Encore un peu endormi, mettre Scott Joplin. Les images sautillent. À deux ou trois mètres l'un de l'autre, deux corps, amarrés aux poteaux, chemises trouées, glissent, saccadent, tombent. Exécution publique de deux guérilleros, devant le cimetière de Port-au-Prince, au bout de la rue de l'Enterrement (appelée aussi rue de la Révolution). J'y assiste : film de Chaplin à l'École du Sacré-Cœur. La foule applaudit. Claque de la trouille. Houle de la survie. Vue en plongée, du balcon d'une maison au style vaguement victorien ? Elle a dû prendre toutes sortes de formes dans mes rêves. *Sunflower slow drag…*

LA RUSE D'OTHELLO

Aux XVIe et XVIIe siècles, précédant l'accélération prodigieuse de la traite, la figure du Noir apparaît dans de nombreuses toiles de maître. Dans des scènes de martyre, en tant que bourreau, doté d'un pouvoir subalterne, technicien de la décapitation: *Martyre de Sainte-Barbe*, attribué à Théodore Van Thulden (1606-1669). Dans des scènes d'adoration, du côté des adorateurs, en second plan: *L'adoration des Mages*, de Rubens (1577-1640). Et dans de nombreuses scènes de fête, du côté des domestiques... Gouttes d'eau, bien sûr, dans l'océan des représentations du Noir dans les arts plastiques.

Or, en 1622, était publié *Othello,* de Shakespeare.

Il faut se transporter à Venise et écouter attentivement la réponse du héros, sommé de rendre compte de son pouvoir d'attraction sur Desdémone, la fille de Brabantio. Dans la salle du Conseil, devant le Doge, les Sénateurs et des officiers de service, l'explication d'Othello est claire. Il répond: *je l'ai baratinée.* Il fallut bien sûr plus de mots pour le dire:

> «... je parlai de chances désastreuses, d'aventures émouvantes sur terre et sur mer, de morts esquivées d'un cheveu sur la brèche menaçante, de ma capture par l'insolent ennemi, de ma vente comme esclave, de mon rachat et de ce qui suivit. Dans l'histoire de mes voyages, des antres profonds, des déserts arides, d'âpres fondrières, des rocs et des montagnes dont la cime touche le ciel s'offraient à mon récit: je les y plaçai. Je parlai des cannibales qui

s'entre-dévorent, des anthropophages et des hommes qui ont la tête au-dessus des épaules. Pour écouter ces choses, Desdémone montrait une curiosité sérieuse ; quand les affaires de la maison l'appelaient ailleurs, elle les dépêchait toujours au plus vite, et revenait, et de son oreille affamée elle dévorait mes paroles. Ayant remarqué cela, je saisis une heure favorable, et je trouvai moyen d'arracher du fond de son cœur le souhait que je lui fisse la narration entière de mes explorations, qu'elle ne connaissait que par des fragments sans suite. J'y consentis, et souvent je lui dérobai des larmes, quand je parlai de quelque catastrophe qui avait frappé ma jeunesse. Mon histoire terminée, elle me donna pour ma peine un monde de soupirs ; elle jura qu'en vérité cela était étrange, attendrissant, prodigieusement attendrissant ; elle eût voulu aussi que le ciel eût fait pour elle un pareil homme ! »

(*Othello,* acte I, scène III.)

Les critiques se sont arraché les yeux pour décider de la couleur (voix off, très chic : « noire ou juste un peu cuivrée ? ») du More de Venise.

Éclat de rire de William, dans sa tombe.

Pour ma part, lisant et relisant cette scène de la tragédie, il m'a toujours semblé qu'Othello était l'incarnation théâtrale parfaite de l'idéologie de la négritude, que Desdémone figurait la conscience démocratique européenne trimbalant sa culpabilité comme un sexe lamentable, et que Iago n'était que l'autre nom d'Idi Amine Dada, de Bokassa 1er ou de Papa Doc.

Évidence puissante d'une énigme.

Qu'on ne puisse s'entendre sur l'aspect physique exact du héros est un bonheur qui me paraît chargé de sens, en tout cas d'un comique qui me secoue jusqu'aux larmes.

LA MÉMOIRE DE L'ESCLAVE

« Douche sous-marine » dans un établissement thermal, à Vichy. Baignoire immense où fusent des dizaines de jets d'eau. Comment surmonter l'angoisse ? Robinets chromés. Manivelle menaçante. Tableaux indicateurs de température et de pression. Sur le liquide agité, l'homme en blouse blanche, d'un vif coup de ciseaux dans le sachet en plastique, répand les algues, me dit-il, de Bretagne. Odeur d'iode. Assailli par mille images de torture, vais-je sortir du bain ? Bondir à la porte ? Deux boutons à portée de main : appel, arrêt. Ronronnement persistant de la machine. Douze minutes de mort.

LA « NATION NOIRE »

D'un côté, l'ordre réel du martyre. Hier, la traite, l'esclavage, la colonisation. Aujourd'hui, l'immigration, la discrimination ordinaire, la domination impérialiste, l'apartheid. Après Saint-Domingue et Fachoda, la prison clandestine d'Arenc et le ghetto de la Goutte-d'Or en France. Après le Cotton Belt et les panneaux d'interdiction aux chiens et aux nègres, le Ku Klux Klan et Harlem aux États-Unis. Une histoire.

De l'autre, un profil anatomique : couleur, bouche, nez, chevelure, etc. Des traits bien ordonnés dans le concept anthropologique de race. Un corps. Noir, comme on dit d'une kyrielle d'autres choses : septembre 1970 en Jordanie, les marées mazoutées en Bretagne, la gueule du loup, les maladies du seigle ou de l'olivier, les nuits opaques, les maléfiques pressentiments, tel regard.

Donc, deux signes de reconnaissance : le martyre et les marques ; le corps et son histoire.

Dans un premier temps, l'astuce ara été d'imposer l'idée que le *martyre est fait pour les marques* (travail du maître). Dans un second temps, *la rupture, la sortie de l'étau servile* (travail de l'esclave amorcé très précisément à Saint-Domingue, dans la deuxième moitié du XVIIIe siècle). Deux mouvements qui, en fait, se seront développés parallèlement, suivant leur mesure propre.

Ce qui subsiste, et se poursuit, du travail de l'esclave n'arrive pourtant pas à ruiner l'impact du maître. C'est qu'entre-temps, le *corps noir,* créé pour les nécessités du développement capitaliste de l'Occident, à partir d'acquis fantasmatiques anciens, en est venu à tenir lieu d'histoire. À marcher tout seul. Les transformations historiques réelles ne l'ont guère atteint.

Sur un passé et une actualité de mort, il s'est alors fabriqué une fable : la « *nation noire* ». Une diaspora fictive de victimes où, sous l'alibi commode de la majorité véritablement opprimée, les nouveaux visages du maître se cachent bien, n'ayant pas à se cacher.

En somme, après la tragédie, la farce.

La ruse d'Othello aura été de prendre le vieux maître au mot : accepter son opération chromatique sur des corps d'esclaves ; la conforter en ce lieu même où le procès économique de l'Occident bourgeois s'était chargé de lui donner un seul objectif. Celui-ci, remis violemment en cause par ceux qui en portèrent le poids, restait l'ordre des marques, échangeable.

Ainsi fut fait : on l'échangea.

De sorte que la conscience démocratique européenne en est restée à un *réflexe de type pavlovien : les marques indiquent automatiquement le martyre*. Coincés entre cette illusion généreuse et l'enfer diffus du racisme, les esclaves aujourd'hui n'en peuvent plus de crever, en silence.

L'Europe coloniale classique aura permis ainsi la mise en place d'un dispositif moderne d'oppression à bas bruit.

HYMNE NATIONAL

Prison! dit le supplicié, viscères au v
ent, les bras en croix, en équilibre su
r la pointe des orteils, barres de fer,
ciseaux, baignoire remplie d'acide à ra
s bord, huile bouillante yes my dear in
jectée derrière l'oreille yes the ear s
eringue très propre, strangulation, ent
trailles décorchiquées décorchirées, éj
aculation du bourreau son foutre montan
t jusqu'au plaf, firmaman je t'aime! di
t l'estropié, prise d'antenne sur le cr
âne, fichage digital de la trique dans
le ventre, étrons giclant ensanglantés,
regard bordé d'alarme, flashmètre bours
ouflé du genou droit, bloc stabilisé du
genou gauche, avec l'empreinte l'empre,
natiorâle de tout le corps, déplacement
du centre de gravité du globe de l'œil,

L'« IDENTITÉ NOIRE »

Ce qui définit la « nation noire » ? Un concept déposé au bureau fantomatique des poids et mesures : l'« identité noire ». À partir de quoi, le « monde noir » se divise en deux groupes : les « authentiques » (ceux qui sont restés proches de la jungle et du tam-tam, ceux qui ont conservé leur mélanine à fleur de peau, ceux que porte cette pulsion insurmontable d'escamotage de la lettre R, ceux qui apprivoisent difficilement leur âme nocturne dans les langues indo-européennes) ; et les « assimilés » (ceux qui ne correspondent pas au modèle imaginaire qui fait loi, ceux qui ont été blanchis avec succès, domptés ou pervertis par le baptême civilisateur, triomphe inattendu de Procuste).

Impossible pour un nègre d'échapper à l'une ou l'autre des catégories qui règlent le champ de la différence noire. Même pas – surtout pas – dans les discours de désaliénation où a dû passer la résistance politique des esclaves. Puisque ces discours, à de rares exceptions près (Frantz Fanon, Jacques Roumain), auront été monopolisés par une intelligentsia qui a intérêt à brouiller sa propre inscription dans les rapports de force sociopolitiques. Et ça continue.

Ce qui frappe dans la plupart des analyses sur le défrisage, le port de la perruque, le blanchiment de la peau et autres pratiques dénégrifiantes, c'est que, sous la mise au jour du processus d'aliénation, s'oublient toujours les tactiques de résistance qui les fondent, la haine du maître qui les porte. Et ceci : que toute intervention sur le corps, où qu'elle advienne et sur quelque mode que ce soit, modifie et aliène par rapport à un dominant ; que la présomption de supériorité qui valorise le modèle de référence est en même temps désir actif de creuser une issue contre lui, sentiment de la faiblesse des forts ; que les modifications corporelles liées aux mouvements de résistance culturelle, si elles disent effectivement la révolte, ne s'inscrivent pas moins à l'intérieur de rapports de pouvoir, au même titre que les modifications corporelles liées à la tradition (modifications tégumentaires, mutilations, déformations crâniennes, du pied, etc.). L'envers blanc des pratiques dénégrifiantes (frisage, bronzage, etc.) donne d'ailleurs à lire ce fonctionnement contradictoire, dans le double procès de confortement d'une culture marchande et de résistance des sujets contre le laminage de leur corps, de leurs désirs).

La typologie binaire qu'organise le concept-verrou d'« identité » n'a pas manqué bien sûr de rayonner en des variantes de masse : le « nègre qui trahit sa race » (sous-entendu : il existe une place de la race où se figer, un pacte de la race où adhérer) ; le « self-hating negro » (le nègre mû par la haine de soi – c.-à-d. soi qui est à la place assignée à la race de toute éternité) ; le « Noir qui vise à s'intégrer à la communauté blanche » (formule affectionnée dans les prisons américaines, pour assurer la paix des matons) ; le Noir qui ne sait pas que pour un Noir il vaudra toujours mieux être dominé par un autre Noir...

Lutter contre ces rationalisations de l'indéfendable, c'est avant tout les restituer à l'horizon idéologique qui les (re)produit. Et aussi, sous le quotidien auquel elles s'accrochent (figure de l'oncle Tom ; pratique moderne du *tokenism,* par laquelle un minoritaire est mis en avant afin de produire un simulacre de non-discrimination, etc.), désenfouir ce qui s'active comm#e travail combiné de maître et d'esclave[5].

5 Quelques esprits perspicaces ne s'y trompent pas. « Me trouvant en 1927 à New York, raconte Marcel Duhamel, j'en vis partout [des oncles Tom], du moins en apparence. Depuis le garçon d'ascenseur qui, pour plaire à la clientèle de l'hôtel, exécutait sur commande son petit numéro de claquettes, au groom qui faisait des acrobaties pour attraper au vol un "quarter", je discernais chaque fois, derrière le sourire servile du soi-disant "Oncle Tom", la lueur de haine annonciatrice des émeutes actuelles. Mais, cela, les Américains ne le voyaient pas. » (Préface à *L'aveugle au pistolet* de Chester Himes, Gallimard, 1970.)

Dès lors, il ne reste plus qu'à poser la seule question qui vaille. À laquelle nulle réponse n'est formulable hors coercition, écrasement du sujet dans un lieu d'en deçà tout espace de vie et d'histoire commun. Question sans doute à peine audible : *c'est quoi, mon identité ?*

Un film, à partir de la « question juive », me semble exposer cette interrogation avec une justesse et une finesse remarquables : *Despair,* de Fassbinder. Mais le « cinéma parlant » ne fit-il pas ses débuts sous le signe de cette diffuse obsession ?

TÉLÉGRAMME

SAMMY DAVIS SOUTIENT CANDIDATURE RÉPUBLICAINE STOP SYDNEY POITIER DÉCLARE IGNORER QUI VIENT DÎNER DANS SON CABOTINAGE STOP RECTIFICATION SAMMY DAVIES SOUTIENT CANDIDATURE DÉMOCRATE STOP CAPITALISME NOIR TRIOMPHE À WALL STREET STOP À PORT-AU-PRINCE NOIRS ET MULÂTRES S'AFFRONTENT STOP BATAILLES SANGLANTES STOP RECTIFICATION SECRÈTE SYMPATHIE ENTRE ÂMES NÈGRES BATAILLES CORDIALES STOP RENCONTRE CE MATIN ENTRE JOSÉPHINE BAKER ET DESCARTES MONSIEUR LÉOPOLD SEDAR SENGHOR PORTE-PAROLE DE LA DANSEUSE A DÉCLARÉ L'ÉMOTION EST HELLÈNE LA RAISON EST NÈGRE STOP EXCLUSIF À PORT-AU-PRINCE PEUPLE NOIR TOUT ENTIER ROULE EN ROLLS STOP MÊME SITUATION DANS ARRIÈRE-PAYS STOP RECTIFICATION LÉOPOLD SEDAR SENGHOR A DÉCLARÉ L'ÉMOTION EST NÈGRE BIEN SÛR LA RAISON HELLÈNE STOP INCIDENT À SIGNALER DESCARTES IGNORANT MICROS OUVERTS A MURMURÉ JE PENSE AVEC DES TROUS DONC JE SUIS UN FROMAGE DE GRUYÈRE STOP AMBASSADEUR FRANÇAIS A PRÉSENTÉ SINCÈRES EXCUSES DU PEUPLE FRANÇAIS STOP DERNIÈRE HEURE PORTE-PAROLE MADAME BAKER SOUTIENT N'AVOIR JAMAIS VU DANS PROPOS DESCARTES QU'UNE FIGURE RHÉTORIQUE BIEN CONNUE STOP SUITE ET PRÉCISIONS BIENTÔT STOP

LA « MÈRE AFRIQUE »

La « nation noire » étant dispersée, l'« identité noire » n'étant portée par aucune pratique culturelle, linguistique ou religieuse commune à tous les Noirs de cette planète, il a fallu – dans les Amériques, au mépris des évolutions survenues – déterrer le cordon ombilical qui lia jadis à une mère : l'Afrique. Encore, retrouver celle-ci, telle qu'elle s'énonce dans la mythologie du nationalisme noiriste, n'est pas évident.

Il s'agirait moins d'une terre réelle, immense et diverse, où interviennent des dynamiques de luttes, que d'un pays homogène, sans histoire, occupé d'un bout à l'autre par un grand corps noir doué d'une âme compacte, avec des caractéristiques innées, immuables, remontant à la nuit des temps, et à partir d'un certain moment transplantées, via leurs porteurs naturels, dans le « Nouveau Monde », lequel aura été « découvert » comme chacun sait, un beau jour, par un nommé Christophe Colomb. Si vous arrivez quand même à mettre la main sur ladite Afrique, ses vertus feront votre joie.

Dans la conscience populaire haïtienne, la Guinée (« Nan-Ginen ») à quoi se réduit l'évocation de la Mère, marque le passage de l'Histoire par l'imaginaire et fonctionne comme mythe de vie, d'ailleurs sans insistance. À l'opposé, la dictature des Duvalier a cru devoir trouver sa légitimation dans « l'Afrique des dieux de la race », mythe de mort propagé à coups de trique. Fonction vitale et fonction de terreur. Mémoire transfigurée du passé et transformation gratifiante du présent.

On retrouve cette contradiction, sous d'autres formes, aux États-Unis. Comment tenir le coup dans l'Amérique meurtrière sans cordon ombilical ? Les Noirs américains ne donnent pas tous, loin de là, la même réponse à cette interrogation dont – soit signalé en passant – beaucoup se passent. Mais enfin, avec l'émergence du courant « Back to Africa », dans les années soixante, la dominance de la question maternelle s'est imposée.

Pour quelqu'un comme Stokely Carmichael, ex-leader des Black Panthers, il ne s'agit rien moins – dans un hommage rendu en octobre 1969 à Malcolm X, de Guinée – que de…

> « […] créer un gouvernement panafricain (au Ghana) qui devra servir de base anglophone à notre peuple des Amériques […] »
>
> (in *Stokely speaks. Black Power back to Pan-Africanism,* Vintage Books, New York, 1971.)

Mot d'ordre s'étayant sur l'idée de l'impasse du mouvement noir dans un pays qui « évolue vers le fascisme » et où le Black Panther Party contracte des alliances contre nature, « un-Marxiste », avec des Blancs ; l'hypothèse de l'existence d'un « peuple africain des Amériques », d'une « diaspora africaine », des « Africains à travers le monde » ; et enfin une lecture de Marx fort originale :

> « Marx dit que les capitalistes, c'est la mort… D'après Marx, ils doivent être tués… [Or] tous les capitalistes du monde aujourd'hui sont blancs. » (*op. cit.*)

Donc… ?

Rencontre pénible du marxisme et de la « question noire ». La machine répressive du capitalisme américain, toujours à l'affût des failles qu'elle-même crée, conjuguant son fonctionnement avec la peur qu'elle-même entretient, ne manqua pas d'ouvrir au maximum l'issue offerte par le colorisme africanisant. L'*Alma Mater* permit ainsi, dans une Amérique irrespirable, de résoudre le vertige de l'Origine, en redoublant en même temps, dangereusement, l'exclusion des Noirs par les maîtres. Ou une tentative de liquidation douce…

Programmée d'ailleurs depuis longtemps, si l'on songe que l'alternative africaine fut, à partir des manifestations de la résistance affirmative des esclaves, une trouvaille de conservateurs libéraux du Sud, tels que Thomas Jefferson, James Madison, John Hartwell Cocke, lorsque désireux de construire une solide Amérique anglo-saxonne, blanche, protestante, fondée sur les valeurs du travail, de l'épargne, de la sobriété et de la droiture morale, ils prônèrent la déportation en masse des nègres vers l'Afrique. Ceux-ci, dégrossis par leur expérience auprès des Blancs, étaient censés porter le message de la civilisation à leur race, et créer par là un continent noir ouvert à l'influence idéologique, politique et commerciale des États-Unis. Entre-temps, la paresse d'une minorité blanche qu'encourageait la servitude, le relâchement des mœurs que favorisait la présence de femmes et d'hommes sexuellement démoniaques, le laisser-aller spirituel propre aux esclavagistes prisonniers de leurs privilèges, toutes ces mauvaises humeurs auraient été extirpées de cette terre bénie du « Nouveau Monde ». Les enfants des Pèlerins et leurs congénères seraient enfin repurifiés, prêts à défier l'univers du haut de leur grandeur d'âme[6].

Or la fable reviendra en boomerang dans le champ contemporain : traînée imaginaire dans les luttes concrètes des Noirs américains pour arracher à l'Amérique leurs droits de citoyens à part entière ; résidu des rêves blancs de déportation d'avant la guerre de Sécession.

Titre à la une du *New York Times*, le 2 septembre 1973 : « U.S. BLACKS BUILD NEW LIFE IN AFRICA. » Ce qui pourrait se traduire – la mauvaise foi ne risquant pas de m'étouffer le premier : « C'EST TROP BEAU POUR ÊTRE VRAI. » De Dakar à Addis-Abeba, il y a les Américains qui sont partis « à la recherche d'une idéologie noire », il y a ceux qui cherchent « la paix et la tranquillité », ceux qui voient « une occasion de devenir riches », vérités et légendes confondues, constats journalistiques et pensées inavouables.

L'assassinat de la liberté fait alors rage à l'ombre de la Statue de Bartholdi. Aux répressions physiques inouïes frappant la

6 Un universitaire de Philadelphie, Randall M. Miller, éclaire le problème en réunissant des lettres écrites entre 1834 et 1865 par une famille d'esclaves de John H. Cocke à celui-ci et à sa famille : *« Dear Master ». Letters of a slave family*, Cornell University Press, New York, 1978.

communauté négro-américaine, le mythe de la Terre Promise Noire aura constitué une alternative à visage humain. Et valsent les démagogues ! Lorsque le gouvernement ougandais a chassé les Asiatiques à coups de pied au cul en 1972, que fait-il, je vous le donne en mille ? Il s'adresse au *Congress of Racial Equality* basé à Harlem pour remplacer dit-il les expulsés. Il est vrai que la Tanzanie rivale avait de son côté engagé une politique de l'emploi favorisant les victimes du racisme yankee…

Toujours est-il que l'effort idéologique de transformer les Noirs américains en un peuple de songe-creux, heureusement, donna des résultats plutôt folkloriques. Poussée des études de la langue swahilie. Détournements d'avion du style de celui opéré en juillet 1972 par Melvin McNair, Joyce Tillerson, George Brown, Jean McNair et George Wright (les quatre premiers étant passés en jugement à Paris en décembre 1978, devant un tribunal qui tint compte du capital de sympathie qu'ils avaient accumulé dans l'opinion[7]). Pèlerinages touristiques en Afrique, charters débarquant flots de voyageurs émus, ça fait des fois du bien les grands petits sentiments… Mais l'Afrique réelle conserve ses problèmes ; et l'Amérique, ses pesanteurs. Il n'y a pas de miracle.

Lorsque cela sera plus ou moins clair pour chacun, lorsque le Mouvement noir connaîtra le recul espéré et la realpolitik du Capitalisme noir un bond en avant sur fond de misère plus noire que jamais, lorsque le libéralisme cartésien prendra le pouvoir, on verra alors apparaître dans le ciel américain cet objet volant parfaitement identifié : *Racines.* Livre (signé Alex Haley, 1976) et feuilleton télévisé (signé David Greene, 1977) qui connaîtront un succès gigantesque. *Racines,* ou le retour de Maman avec un gros *conte* en banque.

---

7 Les « quatre de Fleury-Mérogis » racontent leur odyssée dans un livre vibrant : *Nous, Noirs américains, évadés du ghetto*, Seuil, 1978.

Racines, fiction U.S. sur la traite négrière, l'esclavage et la situation des Noirs en Amérique, fut programmé pendant trois mois à la télévision française et donna lieu à trois débats (Antenne 2, *Les Dossiers de l'écran*: 10 janvier, 14 février et 7 mars 1978). Stokely Carmichael, invité à la troisième émission, dans le feu de la discussion, assimila Juif en général, Sioniste en général et Capitalisme en général. L'équation fit trembler quelques téléspectateurs qui n'ont pas la mémoire courte.

Holocauste, fiction U.S. sur le génocide nazi et les persécutions subies par les communautés juives européennes, équivalent juif de *Racines,* ne dut d'être programmé qu'à une mobilisation énergique et insistante (Antenne 2: 13, 18, 25 février et 6 mars 1979). À la suite notamment de l'émotion provoquée par la publication dans *L'Express* (4 novembre 1978) d'un entretien avec Louis Darquier de Pellepoix, commissaire général aux Questions juives de mai 1942 à février 1944, l'un des responsables de la déportation des 75 000 Juifs de France. Signalons en passant que, au même moment, *Le Figaro Magazine* (28 octobre 1978) publiait une triple page, inconditionnellement apologétique, sur Leni Riefenstahl que les beaux corps nègres passionneront, au bout d'un itinéraire qui l'aura conduite d'un film pour Hitler à un voyage au pays des Nubas.

Proposition pour un sondage: « Si un Noir et un Juif sollicitaient en même temps la main de votre fille, à qui la donneriez-vous? Au Noir? Au Juif? À aucun des deux? Sans opinion? » Avertissement: prière de ne pas corriger les résultats.

HUMOUR NOIR

« Personne ne sait plus ce que pense un Noir, parce que tout le monde s'en fout », se lamente Tommie Smith qui a fait sa contestation de 68 en levant le poing devant les caméras du monde entier aux Jeux olympiques de Mexico. Il avait alors enfilé un gant noir, parce que la paume d'un Noir est une traîtresse souvent. Quel effet ! Dix ans après, Tommie ne cache pas son dépit. En quoi, il n'est pas le seul, étant toutefois seul comme tout le monde. Ouvrez la tête d'un Noir, demande-t-il donc. Maso, je m'offre comme cobaye.

On trouve dans mon crâne une blague d'une vulgarité jamais égalée que me raconta un ami, certain jour de peu de foi… Un Noir américain visite l'Empire State Building. Il monte au sommet du gratte-ciel, se penche un peu trop, et le pire ne manque pas d'arriver. Il tombe. Coup de chance, il trouve le moyen de s'agripper des deux mains à une corniche. Le reste du corps se balance dans le vide. Dans une telle situation, il redevient croyant. Le cadavre en puissance prie donc Dieu. Lui demande, s'il n'est pas raciste, tout simplement de le sauver. Voix divine : laisse-toi aller, mon enfant, j'y pourvoirai. Crédule, mais pas con, le bonhomme lâche d'une seule main. La voix : manquerais-tu de foi ? La crédulité l'emporte, il lâche l'autre main. Le corps tombe en chute libre… Et Dieu de descendre de son nuage. Devant l'amas de chairs sanguinolentes, il cherche patiemment ce qui pourrait ressembler à un derrière, lui balance un vigoureux coup de pied, murmurant : « Sale nègre ! Je t'ai eu, hein ? »

FRAGMENTS D'UNE SÉRIE NOIRE
en hommage à Chester Himes

Gros-Lard avait rappliqué en catastrophe, langue pendante. Essoufflé comme un bœuf :

— C'est foutu, coco. On l'a dans le cul. Toutes les bobines ont disparu.

Assis à son bureau, du bon côté des dossiers, le dirlo n'avait pas bronché. Fallait pas se mettre à paniquer, hé !

Gros-Lard suait à grosses gouttes, malgré les 20 degrés réglo du bureau.

— Ah les salauds ! C'était donc ça cette panne d'électricité. Les salauds !

Son émission était boycottée. Toute sa carrière compromise. Qu'est-ce qu'il en avait à branler de la raison d'État !? Il avait programmé un feuilleton sur les nègres. Il avait même invité des nègres pour discuter. Et maintenant, voilà les résultats, ça lui retombait sur la gueule.

— Je ne suis pas raciste, moi ! Mon passé témoigne pour moi. Comme mon présent ! Comme mon avenir ! J'ai bouffé des troupeaux entiers de vaches enragées. J'ai bossé comme un n… Merde, c'est fini, coco, c'est cuit.

La presse avait reproduit des propos plus corrects, bien sûr. Accompagnés de commentaires inquiets.

◆

— Manquait plus qu'ça ! C'est les nègres maintenant qui viennent nous apprendre not' boulot !

Le commissaire Morasse était furax. Traverser Paris n'avait posé aucune difficulté. Mais une fois sur l'autoroute, patinant sur le verglas, ralentissant dans les congères, il avait du mal à réprimer ses pensées profondes.

— C'est pas vrai ! Vous vous rendez compte !

Cavaler à Roissy parce que cette andouille d'ambassadeur américain voudrait qu'on aille accueillir ses deux négros ! Putain, c'est pas vrai !

Ed Cercueil et Fossoyeur devaient être déjà là quand la R 16 de Morasse s'engouffra en trombe dans le parking. À moins que l'avion n'ait été retardé...

— Ou détourné, lança le commissaire en refermant vivement la portière.

— C'est pas des nègres, chef, répliqua l'adjoint Lèche, découvrant ses horribles dents pourries, c'est des Ricains.

— J'en ai rien à foutre des Amerloques, moi! Blancs, verts ou chocolat marron n'ont qu'à rester chez eux.

Le chiot Lèche acquiesça, en aboyant deux ou trois paroles vaguement humaines.

À la porte 77, l'envoyé spécial du maire était déjà en piste, voltigeant d'amabilités autour de deux grands Noirs en chapeaux de feutre et costumes d'alpaga un peu crado. En ce moment même, le président français se payait du bon temps sous le soleil de la Guadeloupe, avec Carter, Callaghan, et Schmidt. Le maire s'était alors avisé de tirer tout le bénéfice protocolaire de l'arrivée à Paris des « inspecteurs de couleur ». C'est du moins le langage qu'il avait tenu à son ami Alphonse de Coudemin, l'un des rares hommes de l'Élysée auquel il faisait confiance. D'ailleurs, de Coudemin s'était proposé de courir personnellement à l'aéroport et d'orienter les hôtes en direct sur l'Hôtel de Ville, dût-il monopoliser un hélicoptère de la gendarmerie.

— Les Alouettes sont en mission de secours, avait prévenu celle-ci.

La vague de froid qui s'était soudainement abattue sur l'Hexagone ignorait les impératifs politiques.

◆

La Mercedes luisante de l'envoyé secret du maire démarra sur les chapeaux de roue. Morasse conduisait en jetant de temps en temps, à travers le rétroviseur, un coup d'œil vicieux sur les deux lascars assis à l'arrière. Alphonse de Coudemin, assis à l'avant, à la place de la mort, se retournait pour leur faire causette. Lèche, au volant de la R. 16, suivait comme il pouvait.

Sur le bas-côté de l'autoroute, au-delà des remparts vitrés antibruits, s'étalaient les toits enneigés des maisons. Fossoyeur signala en ricanant bêtement qu'on était loin des bâtiments de briques de Harlem. À quoi de Coudemin, qui ne perdait pas le nord, répondit que « Paris est bien géré » – sans préciser les limites du territoire de la capitale. Fossoyeur joua au plus malin :

— Oh yeah ? I love it !

— Sont pas foutus de causer normalement, pensa Morasse que l'homme du maire commençait sérieusement à énerver.

◆

Ed Cercueil explorait la Goutte-d'Or.

— Ça marche ! répétait inlassablement le géant noir en secouant une paire de dés dans un cylindre de fer-blanc. Ça marche !

Sur le carton posé devant lui, sur des caisses retournées en plein milieu de la voie, il avait dessiné au crayon bleu deux rangées de quatre carrés numérotés de 1 à 8. Autour de cette table de jeu grossièrement improvisée, un faux flambeur et plusieurs vrais gogos faisaient valser les billets de dix francs. Le casino à ciel ouvert de la rue Poissonnière ne fermait pas, même en hiver.

Aux portes grillagées des hôtels d'abattage, les putes rameutaient bruyamment le chaland :

— Tu viens doudou ? Trente-cinq francs !

Ed Cercueil buta contre un monceau d'ordures. Il poussa un juron, dans la langue de ses vieux. La réaction d'une tête blonde fut immédiate :

— Tu montes, maï love ?

Elle exhiba trois doigts, puis la moitié de l'index, comme si elle s'adressait à un sourdingue. Ed Cercueil lui rendit un sourire à 100 francs (anciens).

À dix mètres, un car de police, phares allumés, transformait la rue en impasse. Un Arabe se faisait réclamer ses pièces d'identité. Le plus moche des flics avait l'air pressé :

— Dépêchez-vous !

L'Arabe tripotait nerveusement les poches de sa moumoute, en murmurant des excuses. Ed Cercueil s'assura d'un geste distrait qu'il avait bien emporté avec lui le passeport établi au nom du musicien d'un boui-boui de Harlem. La consigne était stricte : pas de viande froide à Paris.

L'enquête n'avançait toujours pas.

◆

— Maintenant c'est fini man! le temps des boys soumis et des cagoules. C'est fini le temps où les Blancs pouvaient piétiner qui ils voulaient. Maintenant les Nègres se battent. Toute la race noire est debout comme un seul homme! C'est fini man!

Petit-Shérif s'était fait étaler par Gros-Lard dans le couloir le plus sombre des studios des Buttes-Chaumont. L'uppercut du Blanc avait terrassé le nabot. Il était juché sur un tabouret, en train de percer un trou dans la porte en isorel de la salle de montage, quand Gros-Lard s'est ramené. Ça chiait des bulles:

— Sous-fifre! Ouistiti! Fausse-couche de macaque! Zoulou! Rejeton de guenon!

Gros-Lard poussa le bouchon très loin. Il s'imaginait en casque colonial, dans un hamac, bercé par un indigène d'une fidélité à toute épreuve. Son pied droit alla se perdre dans l'estomac de Petit-Shérif qui poussa un cri de cochon égorgé.

On entendit au loin les premières sirènes.

◆

France-Soir: LE TUEUR DE L'OISE QUI HÉBERGEAIT PETIT-SHÉRIF ÉTAIT L'AMANT DE MESRINE. ILS AVAIENT ORGANISÉ LA PANNE D'ÉLECTRICITÉ DU 19 DÉCEMBRE 78, APRÈS S'ÊTRE ENFUIS DE LA GUYANA OÙ PRÈS DE MILLE PERSONNES TROUVÈRENT LA MORT. GROS-LARD DÉMISSIONNE.

Libération: POUR NOTRE PART, NOUS NE NOUS SENTONS PAS UNE ÂME À CONDAMNER LES TRUANDS QUI OPÈRENT DANS CETTE ZONE FLOUE OÙ LE BANDITISME FRÔLE LE DÉFI DÉSESPÉRÉ, L'EXPROPRIATION DÉPENSIÈRE ET AUTRES JEUX DE CONS QUI EN VALENT BIEN D'AUTRES.

◆

Ed Cercueil et Fossoyeur sirotaient tranquillement un cognac au *Point de rencontre* de Roissy. La sono grésilla :

— Avion à destination de New York, vol Air France 623…

« POUVOIR NOIR »

La réalité des droits de l'homme étant ce qu'elle est dans le continent déchiré entre le procès de la mondialisation des modèles capitalistes et les arrière-pensées hégémoniques de la « solidarité prolétarienne » soviétique, la bonne conscience de l'Europe libérale va chercher son bien là d'où ne vient aucune rumeur de massacre. La France part ainsi en safari en février 1978 et ramène un gibier impressionnant : des « élections libres » en Afrique. Vous vous rendez compte ! ? Tout effort mérite encouragement :

Le Monde : L'EXEMPLE SÉNÉGALAIS (28 février 1978)

Le Nouvel Observateur : STUPEUR À DAKAR (27 février 1978)

Dispositif de la démocratie formelle dans le « continent noir » où l'omniprésence du pire pousse à applaudir au moindre desserrement de vis : trois candidatures admises (il ne faut pas abuser des bonnes choses) ; isoloir facultatif (si t'as rien à cacher, électeur bien-aimé...) ; bref, restrictions et vigilance.

Mais le dossier des droits de l'homme au Sénégal n'a pas grand-chose à cacher. À peine quelques taches de temps en temps : interdiction du n° 8 du mensuel *Demain l'Afrique*, deux mois après les « élections libres ». Interdiction du film et du livre *Ceddo* de Sembène Ousmane... À part ces accrocs, tout va bien. En France, on interdit bien des livres et des journaux pour protéger la jeunesse ! Alors ? On ne trucide pas en masse comme dans 36 États africains qui figurent dans le rapport 77 d'Amnesty International. Idem au Sénégal. Vous voyez bien que l'héritage de la colonisation n'est pas à 100 % négatif.

Du coup Senghor est promu au rang de dirigeant noir le plus présentable. La bonne conscience des anciens colonisateurs. Le saltimbanque cultivé, raffiné, qui leur permet, ô luxe rare, de se renvoyer à eux-mêmes une excellente image. Le seul chef d'État africain à totaliser une telle somme d'apparitions et d'interviews dans les médias français.

Avec un concurrent sans espoir: l'empereur Bokassa. Après avoir diverti l'opinion avec les fastes de son couronnement, mis quelques notes de gaieté dans la déprime radio-télévisuelle, enrichi quelques-uns et rassuré quelques autres quant à l'avenir de leurs comptes en banque, il n'allait tout de même pas s'écraser sous son aigle de deux tonnes! Il se montre à Paris. Une première fois timidement (juillet 1978), le temps de pisser un coup sur la route de Colombey-les-Deux-Églises (épisode authentique rapporté par *Libération,* 19 juillet 1978). Une deuxième fois, en grande pompe, discours à la bouche, devant micros et caméras:

> «Je remercie du fond du cœur mon très cher parent, le président Valéry Giscard d'Estaing, pour les entretiens très fructueux que nous avons eus. Je lui ai demandé beaucoup de conseils. La France est bien indiquée pour que je puisse me confier à elle.»
>
> (Propos tenus à la sortie de l'Élysée le 22 septembre 1978 et cités par *Le Monde.*)

On voit le fossé, entre le style bon chic bon genre de Senghor et les gros sabots de l'ex-maréchal. Qu'un terme à la fois résume et nie: «pouvoir noir». Plante exotique! Son latex couleur de sang coule dans l'imagination européenne, suscitant des visions indicibles de frayeur. Observez bien les visages des rapatriés de quelque drame africain moderne: les nostalgiques de la coloniale demandent que les braves citoyens y lisent le vide laissé par la décolonisation et l'infériorité intrinsèque des indigènes naguère baptisés, civilisés, éduqués et lessivés sans succès. Ceux qui ont à oublier la médiocrité de leur vie, les amertumes privées et la hausse des prix, l'insipidité de leur boulot et la fadeur de leur environnement, le ras-le-bol du présent et la trouille de l'avenir, transfèrent volontiers leurs angoisses sur le « pouvoir noir ».

Frustration de ma concierge, éberluée devant une émission à laquelle participe Senghor, envolées poétiques, anacoluthes, flashback sur les millions de victimes de la traite, mon ami Malraux, mon ancien camarade de classe Pompidou :

— Çui-là n'est pas un Noir ! s'exclame-t-elle.

La vérité sort de la bouche des pauvres paumés. Il faut les écouter d'une troisième oreille. Ce qu'elle perçoit est d'une justesse glaçante dans sa naïveté : que Senghor incarne en France ce que Chester Himes – qui sait de quoi il parle – appelle « le modèle du super-intellectuel noir » *(Affaire de Viol*, éd. des Autres, 1978). L'exception qui permet de confirmer la règle raciste dans sa plénitude.

Et quand l'unique voix avisée de « la race » se tait, quand les médias n'apportent plus les images dantesques des charniers, vive les clowns ! Le Big Black Man de Kampala[8] réserve toujours à son international public une dernière histoire drôle. Quand l'Empereur de Bangui n'a plus de réception féérique en vue, il peut toujours… tiens, chasser de la maison paternelle son fils, le prince noir malaimé qui ira révéler à quelques journalistes des secrets de Polichinelle sur le racket de l'ivoire. Le rire remplacera l'épouvante. Les rates se dilateront, entre un flash d'information banal sur mille morts au Liban et on ne sait plus combien de prisonniers d'opinion en Argentine, tandis qu'au Nicaragua des enfants sont passés par les armes et qu'en Haïti quelque chien famélique s'appuie contre un mur pour trouver encore la force de japper.

8 Qui ne campe plus là, n'importe ! Depuis, Bokassa aussi s'est fait virer, le peuple centrafricain se retrouvant Gros-Jean comme devant. Quant au régime démocratique de Senghor, il est entré dans l'incertitude des années 80 en faisant donner sa force de frappe contre le mécontentement de la jeunesse sénégalaise (janvier), arrêter un directeur de journal (M. Boubacar Diop, février) et interdire *Libération* « à l'importation sur toute l'étendue du territoire ». Encore un effort !

JEU POUR JOUR DE PLUIE OU SOIR D'HIVER

1. Prendre le négatif d'une photo représentant Giscard d'Estaing en compagnie de Bokassa 1er. L'examiner contre une source de lumière. Si vos yeux vous révèlent l'objective réalité, vous serez surpris de découvrir un très curieux inversement chromatique : Giscard l'Africain et Bokassa le Gaulois.

2. Prendre le négatif d'une photo représentant Pierre Overney étalé de tout son long devant les usines Renault. Répéter la manœuvre précédente. S'il n'y a dans vos yeux ni trace de poudre ni trace de froid, ni paille ni poutre, vous découvrirez le cadavre d'un nègre.

ÉCOUTEZ VOIR LA DIFFÉRENCE

20 octobre 1976. Giscard d'Estaing en visite officielle à La Réunion : « Accueil *bon enfant* réservé au président » (France-Inter, journal de 13 heures).

20 avril 1977. Giscard d'Estaing en visite officielle au Sénégal : « Accueil chaleureux et *bon enfant* » (France-Inter, journal de 9 heures).

16 mai 1978. Léopold Sedar Senghor en visite officielle à Paris : « Accueil chaleureux et *amical* » (même station).

Deux jours plus tôt, le 14 mai, Antenne 2 diffusait un entretien avec le chef de l'État africain qui déclarait : « La France est un exemplaire de l'Europe. Un pays d'organisation et de méthode. Un pays qui représente donc ce dont nous avons le plus grand besoin. Un pays qui a un très haut sens de l'homme. »

Eldridge Cleaver, dans son livre *Soul on fire* (Texas, Word Books Publisher, 1978), bilan de son itinéraire jusqu'à la découverte de Dieu, raconte une histoire semblable à Jean Genet : « France is one of the few countries in the world irretrievably attached to democracy. » [La France est l'un des quelques pays dans le monde à être résolument attachée à la démocratie.]

Genet, pas d'accord, en guise de réplique, lui en raconte une autre, plus terrible : « Not only are you a *child, you're white*! » [Tu es non seulement un *enfant, mais encore un Blanc!*] Ce qui pourrait se traduire aussi bien : moi, Genet, je ne suis pas seulement solidaire de la cause noire, je suis moi-même un Noir. Ou encore, plus librement : Eldridge, qu'as-tu fait de ta *différence?*

J'allume la radio. Débat du samedi matin sur France-Culture. Un responsable politique me sert une fable passionnante : la grève est néfaste à l'Afrique, c'est un produit importé d'Europe, la grève est étrangère à la personnalité noire.

Journal de 13 heures sur TF1, lundi 2 octobre 1978. Un responsable sportif français, interrogé par Yves Mourousi, parle gravement de la « morphologie inférieure » des Japonais. Le maladroit ! Il lui suffisait de dire : morphologie différente.

Ainsi, vous branchez avec précision la radio sur la télé, vous y ajoutez un bouquin, vous secouez le tout vigoureusement, et vous savez tout de suite pourquoi les cadavres de Kolwezi se divisent en cinq groupes, égaux dans la mort : les noirs d'ivoire, les noirs d'Espagne, les noirs de carbone, les noirs de lie et les noirs d'aniline.

P.S. *Puisque nous en sommes aux connexions obscènes… Senghor, au* Grand Échiquier *de Jacques Chancel (Antenne 2, 28 septembre 1978), cache le Roi derrière le Fou : « La politique doit être au service de la poésie »… Partie de crânes à suivre*[9].

---

9 La séquence « Écoutez voir la différence » a fait l'objet d'une publication dans la revue Canal, n° 22, novembre 1978.

ALTERNATIVE ?

Face aux quatre mythes de base du nationalisme noiriste (la « nation noire », l'« identité noire », la « Mère Afrique » et le « pouvoir noir »), le problème est de savoir, en dehors de leurs mille et une versions mâtinées d'horreur, si l'on peut encore concevoir une sorte de *patriotisme tactique* qui dégage les vérités sociales du trompe-l'œil épidermique.

Dans ce dialogue opposant un ouvrier métallurgiste et un physicien, au buffet de la gare d'Helsingfors, l'ami Brecht me souffle quelque chose de cet ordre-là :

> « *Kalle :* Parlons de vos idées. Vous m'avez donné à entendre que vous étiez en quête d'un pays où des vertus aussi astreignantes que le patriotisme, la soif de liberté, la bonté, le désintéressement seraient aussi superflues que l'égoïsme, la brutalité, la servilité, ou le fait de dire merde à la patrie. Cet état de chose, c'est le socialisme.
> *Ziffel :* Excusez-moi, voilà une conclusion surprenante.
> Kalle se leva, sa tasse de café à la main.
> *Kalle :* Je vous invite à vous lever et à trinquer au socialisme. Mais faites-le de manière à ne pas vous faire remarquer dans ce restaurant. En même temps, j'attire votre attention sur un point : pour en arriver là, il faudra bien des qualités : un courage extrême, une soif de liberté totale, le désintéressement le plus absolu et l'égoïsme le plus grand. »
>
> (B.B., *Dialogue d'exilés.*)

Des qualités, pour un nègre d'aujourd'hui résolu une fois pour toutes à intervenir dans son histoire pour en faire autre chose qu'un sordide objet d'échange, à cesser une fois pour toutes de tirer cette plus-value diabolique sur le passé colonial en organisant un présent tout aussi féroce, à en finir avec ce qu'un homme comme Frantz Fanon avait compris vécu écrit dans une tension fulgurante, à renoncer à l'exploitation éhontée des cadavres, des qualités qui n'auraient rien à voir avec l'emphase des torses bombés sous le drapeau déployé, le terroir qui fleure bon la mort, la culture indigène hors histoire et hors classe, l'héritage-du-peuple-noir-tout-entier, la territorialisation des corps dans le corset étouffant de l'identité, les antiennes chantées et rechantées par des vieilles sentinelles en mission de ralliement pour valeurs nationales librement cotées en bourse, les imposants cortèges de solidarité ethnique toutes contradictions bues, les foules pressées de voir et d'acclamer les fracassants amis du peuple pieusement dressés sous les branlants chapiteaux du culte de l'Alma Mater, les défenseurs féodaux du ramage proportionnellement ajusté au plumage virevoltant autour des loufoques poignées de main néocoloniales des amitiés-solides-entre-nos-deux-peuples, les assistances techniques soi-disant neutres accordant prêts et bourses moyennant taux d'intérêt incalculables en vue de fallacieuses opérations de contribution au démarrage de rien du tout, les chercheurs de nouveaux rapports spécialisés en contradictions secondaires créant nouvelles chaînes haute fidélité du décervelage du matraquage du brigandage, les convertisseurs de l'accélération foudroyante de l'histoire en sagesse-des-peuples, les experts internationaux et trans-idéologiques spécialisés dans les structures les conjonctures les cultures spécifiques, les investisseurs de capitaux d'amour fou dans les réserves esthétiques du tiers-monde, les apologistes fanatiques des valeurs de civilisation où les fillettes se font taillader le clitoris et coudre le vagin au nom des belles traditions, les sonneurs de glas sinistres en génuflexion devant la montée planétaire des barbaries, Procuste à la machette laminant ce qui dépasse, étirant ce qui têtu irréductible résiste, tous ceux-là dilapideurs cyniques des désirs de paix et de bonheur, donnant à choisir entre mort et mort comme s'il était question de se décider entre deux morts, comme s'il ne s'agissait pas tout bonnement pour l'esclave d'en ruiner l'enfer d'un geste égal, irréparable.

III

DE MAIN DE MAÎTRE

Où le héros, à travers une Histoire balisée de pierres blanches, s'abandonne à son vice favori : le dévoilement par la citation. Exhibant des pièces accablantes, il montre que, du Père Xavier (de Charlevoix, 1724) au Père de Villiers (Gérard, 1978), l'édifice fantasmagorique du maître a toujours été d'une cohérence sans reproche. Et se demande ridendo si l'avenir réserve encore des cadavres.

Il lui dit : « Viens et relève ta manche ». L'Africain s'exécute, découvre un grand bras noir ; l'homme au chandail jacquard en fait autant. Il met son bras blanc à côté du bras noir et, fier de sa démonstration, il déclare : « Vous allez dire qu'on est pareils peut-être, lui et moi ! » Un incroyable silence lui a répondu, gêné, lourd. Il a vite baissé sa manche et il est parti en disant : « Vous êtes toutes des connes. »

Marie Cardinal, *Rendre le rêve à l'humanité,* Les Nouvelles Littéraires, 17-22 novembre 1978.

1724

Pierre-François-Xavier de Charlevoix, père de la Compagnie de Jésus, n'a pas peur des contradictions. Dans son *Histoire de l'Isle Espagnole ou de S. Domingue,* publiée en MDCCXXXI, chez Jacques Guérin libraire-imprimeur à Paris, « avec approbation et privilège du Roy », écrivant la chronique de la société coloniale, il soutient ceci : l'oppression – dont il rend compte avec une précision d'entomologiste – n'est pas l'oppression ; la révolte – qu'il ne manque pas de signaler – n'est pas la révolte.

L'un des premiers, il rapporte les soulèvements d'esclaves (ainsi en 1679, l'affaire dite de Padrejan – du nom du meneur de la rébellion –, dans le Nord-Ouest de Saint-Domingue). Mais s'empresse d'en déduire l'attachement des nègres à leurs maîtres. Il décrit les châtiments infligés par tel colon aux « coupables » d'une conspiration (rompus vifs, jambes coupées, etc.). Mais « il faut convenir, souligne-t-il, que les François recueillent les fruits de la douceur, avec laquelle ils les traitent [les nègres], & plus encore du soin qu'on a dans la Colonie d'en faire de bons Chrétiens ».

Bref, tout va pour le mieux dans le meilleur des mondes esclavagistes possibles.

Cet optimisme prend source dans une autre contradiction : l'idée d'un sujet détenteur d'attributs immuables et en même temps transformable à coups de catéchisme et de cravache. Toutes proportions gardées, la caractérologie négrière qu'établit ce jésuite vers 1724 est comparable à celle en usage aujourd'hui dans une agence de travail intérimaire à Paris où, par ces temps de crise, m'apprend une employée qui n'adhère pas à ces chimères, «les Algériens sont les plus maniables des Arabes; les Marocains, les plus fourbes, font semblant de se plier, mais donnent des coups dans l'dos; les Tunisiens sont fiers et froids; quant aux Noirs, ils dorment au boulot...»

Misère des Nègres

Je finis par ce qui regarde les Negres, qui sont aujourd'hui le plus grand nombre de Sujets de cette Colonie. Rien n'est plus misérable, que la condition de ce Peuple, il semble qu'il soit l'opprobre des Hommes, & le rebut de la Nature; exilé de son Pays, & privé du bien, dont toutes les autres Nations sont plus jalouses, qui est la liberté, il se voit presque réduit à la condition des bêtes de charge. Quelques racines sont toute sa nourriture; ses vêtemens sont deux méchans haillons, qui ne le garantissent, ni de la chaleur du jour, ni de la trop grande fraîcheur des nuits. Ses Maisons ressemblent à des tannières faites pour loger des Ours; son lit est une claye, plus propre, ce semble, à lui briser le corps, qu'à lui procurer du repos; ses meubles consistent en quelques calebasses, & quelques petits plats de bois, ou de terre: son travail est presque continuel, son sommeil fort court, nul salaire, vingt coups de fouët pour la moindre faute: voilà où l'on a sçu réduire des Hommes, qui ne manquent point d'esprit, & qui ne peuvent ignorer qu'ils sont absolument nécessaires à ceux, qui les traitent de la sorte.

Leur vrai bonheur malgré cette misère

Avec cela, ils joüissent d'une santé parfaite, tandis que leurs Maîtres, qui regorgent de biens, & ne manquent d'aucune des commodités de la vie, sont sujets à une infinité de maladies. Tous les jours exposés tête nuë à un Soleil, qui devroit, ce semble, leur faire boüillir la cervelle; ils ne se plaignent jamais que du froid, de sorte qu'ils joüissent du plus précieux de tous les biens, & paroissent insensibles à la perte des autres. Ce n'est pas même, dit-on, une bonne œuvre, que de les tirer d'un état si pénible, & si humiliant, ils en abuseroient. Il est vrai que ceux, qui parlent ainsi, sont intéressés à tenir ce langage, & sont en même têms leurs Juges et leurs Parties. Après tout, il faut avoüer que, s'il n'est point de service, qui flatte davantage l'orgueil humain, que celui de ces Esclaves, il n'en est point, qui soit sujet à de plus fâcheux retours, & qu'il n'est personne dans nos Colonies, qui ne se trouve malheureux d'en être réduit à n'avoir point d'autres Domestiques. N'y eut-il que ce sentiment si naturel à l'Homme, & en quoi nous participons de la nature de Dieu même, de compter pour rien ce qu'on fait pour nous par crainte, si le cœur n'y a point de part. Mais c'est ici un mal nécessaire, du moins y voit-on peu de remède. Malheureux dans les Colonies, qui a beaucoup d'esclaves ; c'est pour lui la matière de bien des inquiétudes, & une occasion continuelle d'exercer la patience. Malheureux, qui n'en a point du tout, il ne peut absolument rien faire. Malheureux enfin, qui en a peu, il faut qu'il en souffre tout, de peur de les perdre, & tout son bien avec eux.

À proprement parler, il n'y a que les Afriquains, qui sont entre le Cap Blanc, & le Cap Negre, qu'on puisse dire être nés pour la servitude. Ces miserables avoüent sans façon, qu'un sentiment intime leur dit qu'ils sont une nation maudite. Les plus spirituels, comme ceux du Sénégal, ont appris par une tradition, qui se perpetuë parmi eux, que ce malheur est une suite du Peché de leur Papa Tam, qui se mocqua de son Pere. Ces Sénégallois sont de tous les Negres les mieux faits, les plus aisés à discipliner, & les plus propres au service domestique. Les Bambaras sont les plus grands mais voleurs ; les Aradas, ceux qui entendent mieux la Culture des Terres, mais les plus fiers : les Congos, les plus petits, & les plus habiles Pêcheurs, mais ils désertent aisément : les Nagos, les plus humains : les Mondongos, les plus cruels : les Mines, les plus résolus, les plus capricieux, les plus sujets à désespérer. Enfin les Negres Creols, de quelque nation qu'ils tirent leur origine, ne tiennent de leurs Pères que l'esprit de servitude, & la couleur. Ils ont pourtant un peu plus d'amour pour la liberté, quoique nés dans l'esclavage ; ils sont aussi plus spirituels, plus raisonnables, plus adroits, mais plus fainéants, plus fanfarons, plus libertins que les Dandas, c'est le nom commun de tous ceux qui sont venus d'Afrique.

Leur défaut de mémoire : qualité de leur esprit

On a vû à Saint Domingue des Negres, qu'on avoit enlevés au Monomotapa, on en a vû dans d'autres Colonies, qui étoient de l'Isle Madagascar, ni les uns, ni les autres n'ont fait aucun profit à leurs Maîtres. Ceux-ci sont presque indomptables ; ceux-là périssent d'abord en differentes manieres. Pour ce qui est de l'esprit ; tous les Negres de Guinée l'ont extrêmement borné ; plusieurs mêmes paroissent stupides, & comme hebêtés : on en voit, qui ne peuvent jamais compter au-delà *de trois, ni apprendre l'Oraison Dominicale. D'eux-mêmes ils ne pensent à rien, & le passé leur est aussi inconnu que l'avenir : ce sont des machines, dont il faut remonter les ressorts à chaque fois, qu'on veut les mettre en mouvement. Quelques-uns ont crû qu'il y avoit en eux plus de malice, que de défaut de memoire, mais ils se trompoient ; pour en être convaincu, il ne faut que faire réflexion à leur peu de prévoyance dans les choses, qui les regardent personnellement.*

Leurs vertus & leurs défauts

Cela est pourtant assés difficile à accorder, avec ce que tout le monde généralement assûre, qu'ils sont très-entendus & très-fins dans les affaires, qu'ils ont extrêmement à cœur, & qu'ils y prennent souvent leurs Maîtres pour dupes. On ajoûte qu'ils raillent assés spirituellement, & qu'ils sçavent merveilleusement attraper le ridicule de quiconque ; qu'ils sont très-habiles dans l'art de dissimuler, & que le plus stupide Negre dans les choses les plus communes, est pour son Maître un mystere impénétrable, tandis qu'il le perce à jour avec une facilité surprenante. Ce qui est certain, c'est qu'il semble que leur secret soit leur thrésor, ils mourroient plûtôt que de le révéler. Rien n'est plus divertissant que de voir leur contenance, quand on veut le leur arracher. Ils font les étonnés d'une manière si naturelle, qu'il faut une grande expérience, pour ne pas les croire sinceres : ils éclatent de rire de façon à démonter les plus assûrés ; ils ne sont jamais déconcertés, & les eût-on pris sur le fait, les coups ne leur feroient pas avouër ce qu'ils ont entrepris de nier. Ils ont communément le naturel fort doux ; ils sont humains, dociles, simples, mais crédules, & sur-tout superstitieux à l'excès. Ils ne sçauroient garder de haine, ils ne connoissent ni l'envie, ni la mauvaise foy, ni la médisance. Il est encore vrai de dire, que quand on leur a donné la connoissance de Dieu, la Religion est la chose, dont ils font plus de cas : c'est le fruit d'une raison, qu'aucune passion ne domine. Quelques exemples qu'on rapporte du contraire, ne prouvent rien contre l'expérience générale : outre que pour l'ordinaire ils n'ont d'autre fondement que l'irréligion de leurs Maîtres, qui voudroient justifier par-là le peu de soin, qu'ils apportent à l'instruction de ces malheureux.

De quelle manière il faut les traiter

On vient à bout de corriger une bonne partie de leurs défauts par le foüet, quand on employe à propos ce remède ; mais il faut recommencer souvent. Cependant, quoique la sévérité, ou du moins un certain air sévère, doive prédominer dans la conduite, qu'on tient à leur égard, la douceur n'en doit pourtant pas être bannie. Les Anglois ne se trouvent pas bien de n'en assaisonner jamais les corrections, qu'ils leur font toûjours d'une manière cruelle; & il y a bien de l'apparence que, si nous les avions à Saint Domingue pour voisins à la place des Espagnols, il ne tiendroit qu'à nous de leur débaucher la plûpart de leurs Esclaves. Le Negre n'est pas traître; mais il ne faut pas toûjours trop compter sur sa fidélité, & son attachement aveugle. Il seroit assés bon soldat, s'il étoit bien discipliné & bien conduit; il est brave, mais souvent, c'est parce qu'il ne connoit pas le danger, ou que sa vanité le lui cache. S'il se trouvoit dans un combat à côté de son Maître, & qu'il n'en eût pas été maltraité sans sujet, il feroit fort bien son devoir, mais il ne faudroit pas l'avoir puni injustement; car il distingue parfaitement, si l'ont agit avec lui par passion, & par dureté de caractère, ou si on le châtie avec une sévérité nécessaire, & sur laquelle il sçait se rendre justice. Les Negres attroupés & soulevés se doivent dissiper sur le champ à coups de bâtons & de nerfs de bœufs; si l'on differe, & qu'ensuite on les veüille combattre, ils se défendront bien. Dès qu'ils voyent qu'il leur faut mourir, il leur importe assés peu comment, & le moindre succès les rend presque invincibles. Le moyen le plus efficace de s'assûrer de leur fidélité, c'est de s'attacher à en faire de bons Chrétiens.

Diverses particularités de ces Peuples

Le chant est parmi ces Peuples un signe assés équivoque de gayeté ou de tristesse. Ils chantent dans l'affliction, pour charmer leur ennuy, & ils chantent, quand ils sont contents, pour donner carriere à leur joye. Il est vrai qu'ils ont des airs lugubres, & des airs joyeux, mais il faut les avoir pratiqué long-têms, pour sçavoir distinguer les uns d'avec les autres. Ils sont fort durs à l'égard des Animaux, qu'ils conduisent: on en a vû s'embourber exprès, pour avoir le plaisir de mettre leurs Bœufs tout en sang; ils font alors semblant d'être fort en colère, ils jurent, ils tempêtent; mais au fond, ils se divertissent. Bien des Maîtres ne nourrissent pas leurs Esclaves, & se contentent de leur donner quelque relâche, pour chercher, ou pour gagner leur vie; mais quelque recherche qu'on ait faite, on n'a pû encore découvrir de quoi ils vivent alors. On sçait d'ailleurs que ce qui suffit à peine à un Blanc pour un repas, peut nourrir un Negre pendant trois jours. Ils ne laissent pas de bien manger, quand ils ont de quoi, mais quelque peu qu'ils mangent & qu'ils dorment, ils sont également forts et durs au travail. Il faut ajoûter que le peu qu'ils ont, ils le partagent volontiers avec ceux, qu'ils voyent dans l'indigence, fût-ce des inconnus.

Religion des Negres

Quant à la Religion, il est bon d'observer que les différentes sortes de Negres, qu'on transporte d'Afrique dans nos Colonies, se peuvent réduire à trois Nations principales, qui sont les Congos, les Aradas, & les Senegallois. À proprement parler, ni les uns, ni les autres n'ont aucune Religion. Neanmoins les Congos furent convertis au Christianisme [sic, J.-C.C.] par les Portugais, il y a 200 ans; leurs Rois ont toûjours été Chrétiens depuis ce têms-là, & plusieurs de ces Negres sont baptisés; mais à peine trouve-t-on dans quelques-uns une légère teinture de nos Mystères. Quelques Sénégallois, voisins du Maroc, sont Mahometans & circoncis; les Aradas sont plongés dans les plus épaisses ténèbres de l'idolâtrie, jusqu'à rendre un culte divin aux Couleuvres de leur pays. Mais tous, en sortant d'Afrique, se défont de l'attachement à leur créance & à leur culte superstitieux, ou supposé qu'ils en eussent encore, on n'a aucune peine à les faire Chrétiens, & le plus grand embarras des Missionnaires, est pour leur différer le Baptême sans les choquer, jusqu'à ce qu'ils soient suffisamment instruits: il est même très-rare d'en voir apostasier. On ne peut gueres sçavoir quelle idée la plûpart ont de Dieu, avant que d'être éclairés des lumières de la foy; mais on n'a nulle peine à leur en persuader l'existence, & en interrogeant des Enfans, on a crû entrevoir, qu'ils avoient une idée confuse d'un premier Estre souverain de l'Univers, & d'un Esprit méchant, qui ne sçait faire que du mal. On ajoute qu'ils sont fort tourmentés du Démon avant leur Baptême, & que c'est ce qui leur fait demander ce Sacrement avec tant d'insistance. Quant à la Loi naturelle, ils en ont une connoissance bien imparfaite: rien selon eux ne rend l'Homme criminel, que le Vol, l'Homicide, & l'Adultère, qui ne se fait pas du consentement des Parties intéressées. Au reste, ils sont fort peu capables de comprendre les Vérités Chrétiennes, & toutes la science, à laquelle plusieurs peuvent parvenir, se réduit à être persuadé, qu'il y a un Dieu, un Paradis, & un Enfer. C'est beaucoup, quand leurs foibles lumières peuvent les élever jusqu'à une connoissance superficielle de la Trinité & de l'Incarnation, & il y en a un grand nombre, qu'on ne sçauroit gueres baptiser, que dans la Foy de l'Église, comme on fait les Enfans, aussi les juge-t'on rarement capables de communier, même à la mort.

1802

Entre le nègre d'Afrique et le nègre d'Amérique, le discours raciste s'est toujours efforcé d'introduire, sur la base inébranlable de leur différence commune, une relation d'inégalité. Le premier s'ajuste mieux au modèle fantasmatique. Le second donne à voir la version améliorée, plus ou moins civilisée par l'exil, du prototype. C'est ce qu'alléguait Xavier de Charlevoix. C'est ce qu'on verra plus tard à l'œuvre, avec variations, avancées et régressions, chez Gérard de Villiers. C'est ce que s'escrime à rationaliser Barré Saint-Venant, parlant *Des colonies modernes sous la zone torride, et particulièrement de celle de Saint-Domingue,* Paris, 1802. Cette vision participe curieusement, dans le champ contemporain, des idéologies dominantes antillaises. Injure haïtienne connue: «Africain!» – ce qui est la honte suprême. Épouvantail couramment agité contre les tendances séparatistes à la Martinique et à la Guadeloupe: «Regardez donc la situation d'Haïti!» – référence sous-tendue par l'hypothèse de la détermination raciale. Écoutons Barré Saint-Venant, qui en son temps consigna cette perspective coloniale classique:

DES NÈGRES D'AFRIQUE
C'est là, sur-tout, c'est en Afrique, que la tâche du législateur devient pénible et compliquée. La nature, loin de l'aider, paraît lui refuser toute assistance.

Une atmosphère embrâsée, une chaleur constante, affaissent le corps, portent la torpeur dans tous les membres, et éloignent l'homme de tout travail.

Le développement des forces physiques et morales y est sans cesse arrêté par je ne sais quelle action secrète qui ôte toute énergie, et plonge l'homme dans une sorte de stupidité et d'engourdissement qui le réduit presque à l'état des brutes ; car, si elle lui permet quelques petites combinaisons, qui l'élèvent au-dessus des autres animaux, elle lui interdit les impressions profondes, et l'exercice continu de l'esprit, du génie et de la raison.

Il aurait des mœurs douces, s'il était réglé ; mais, dans l'état sauvage, le désordre des passions, l'impétuosité de ses mouvements le portent jusqu'à l'atrocité : l'amour, la jalousie, la superstition, un ressentiment, une haine inextinguibles, sont chez lui des passions qui le portent à des excès de tous les genres. In ignes furiasque ruunt.

Ajoutez à cela tous les dons de la terre la plus fertile, la suppression de tous les besoins physiques, il vous sera facile de concevoir que, sous un tel ciel, l'homme est très-stupide, excessivement paresseux, qu'il est dans le plus grand éloignement possible de toute civilisation, qu'il doit être dans la classe des peuples le plus malheureux, et il l'est en effet. Son histoire ne représente que cruauté, désordre, barbarie, crimes, misère, dépopulation, sans aucune compensation. Il n'exista jamais un gouvernement plus outrageant ; on ne viola jamais plus fortement les droits de l'homme, que dans cette partie du monde.

De petits rois y sont aussi multipliés que l'étaient jadis les seigneurs de paroisse parmi nous. De tems immémorial, plus de quinze ou vingt ans que d'Ahomet, roi de Juida, a entièrement exterminé la race des Aradas. L'esclavage le plus absurde y existe de tous les tems. Avant le commerce des Européens, tous les prisonniers étaient égorgés sans pitié.

Lorsqu'un tyran du Bénin ou de Juida est au lit de mort, il ordonne que toutes ses femmes, ses favoris, avec quarante, cinquante, souvent cent, plus ou moins, de ses esclaves, le tout suivant son importance, soient enterrés avec lui pour le servir dans l'autre monde, et cette horrible cérémonie se renouvèle à des époques annuelles pour apaiser ses mânes.

Cet ordre s'exécute sans effort ; le peuple se dévoue, suit le tyran, et veut encore être esclave, même après sa mort.

Pendant le cours de sa vie, on l'insulte, on l'outrage, on l'égorge, on l'empale, on lui fait subir tous les tourmens : toujours soumis, toujours passif, il souffre sans se plaindre ; il n'a pas même le courage de se soustraire à la mort.

Dans certains cantons, chez les Mondongues et les Bisagots, au cap de la Vergna, on tient boucherie de chair humaine; des temples sont bâtis d'ossemens et de crânes humains; le repaire d'Ahomet, roi de Juida, et la demeure de plusieurs autres tyrans, présentent ces horribles trophées.

Par-tout le prince a droit de vie et de mort sur ses sujets, et le moindre soupçon suffit pour confisquer tout le bien et toute la famille du condamné.

Si une des femmes du roi ou une princesse va à la promenade; si même elle y envoie quelques-uns de ses amans, il faut qu'au cri des gardes qui précèdent les hommes et les femmes, tous les esclaves s'enfuient ou se prosternent la face contre terre, pour ne pas les voir, sous peine de mort.

Tous croient à la métempsychose; superstitieux à l'excès, ils commettent des crimes qu'ils croient commandés par le ciel: en mourant, ils consentent et ils veulent renaître esclaves; la crainte de la mort les effraie moins que la crainte du travail qui, en effet, serait très-pénible, très-difficile à obtenir dans ces contrées brûlantes.

Quoique les derniers de nos matelots y soient traités et regardés comme les princes du pays, par la seule raison qu'ils sont blancs, cependant aucun d'eux n'a jamais été tenté de s'y fixer, tant le sort de tous les hommes y est déplorable.

AVANTAGES DE LA TRANSPLANTATION DES NÈGRES D'AFRIQUE DANS LES ANTILLES

Il est bien difficile de conduire un tel peuple à la civilisation; il faudrait des lois bien extraordinaires pour l'y faire arriver, et il n'en est, je crois, aucune qui puisse produire cet effet dans son pays natal. Ceux qui ont tenté des établissements de culture coloniale dans ces contrées, n'y ont pas réussi, et n'y réussiront certainement jamais. L'expérience justifie cette opinion; elle annonce que, si certains peuples des pays chauds peuvent être civilisés par la contrainte au travail, ce moyen seul ne suffirait pas pour ceux qui sont situés entre les tropiques, sur-tout au centre de l'Afrique; elle annonce enfin qu'un tel peuple ne peut devenir laborieux et civilisé que par sa transplantation sous un climat plus tempéré.

Rappelons-nous, en effet, que les Espagnols ont fait disparaître les Mexicains, pour avoir voulu les contraindre au travail dans leur pays natal.

Cette nation était pourtant nombreuse. Les historiens disent que la seule île Saint-Domingue contenait un million d'habitants, et c'était la plus petite partie de ce peuple qui n'a pu supporter le travail dans son pays natal, et qui, par cette cause principalement, a été réduite d'un million à soixante mille hommes, dans l'espace de six ans, et qui depuis a entièrement disparu.

Cet exemple n'est-il pas aussi terrible qu'il n'est convaincant ?

Si le million d'hommes qui était à Saint-Domingue, avait été transplanté dans un climat moins chaud, tout annonce qu'il aurait été conservé. En voici un exemple aussi frappant que hors de doute.

Les nègres d'Afrique sont peut-être les plus paresseux des hommes : cependant ils deviennent susceptibles de travail dans nos colonies à sucre, et leurs enfants (les nègres créoles) sont véritablement robustes ; leurs forces physiques et morales s'accroissent à mesure qu'ils s'éloignent de leur première origine, et qu'ils sont habitués au travail dès l'enfance. Cette différence entre le nègre créole et l'africain, est en effet si grande, qu'ils ne se ressembles plus.

D'après cet exemple qui est très-marquant, il semble que le législateur doit non-seulement le contraindre au travail, mais encore le transplanter dans un climat plus tempéré ; et telles sont précisément nos îles à sucre, dont la chaleur est bien moindre que celle du continent d'Afrique, parce que le vent d'est, quoique venant de ces contrées, d'où il sort brûlant, est rafraîchi par son passage sur plusieurs centaines de lieues de mer, avant d'arriver à nos îles, où, par cette raison, et par la constance de ce vent, la température du pays est beaucoup plus douce.

Ce changement dans l'espèce humaine, par la transplantation dans un climat tempéré, d'où résulte un degré de perfection, est un fait très-remarquable. Il mérite toute l'attention des législateurs et des philosophes, puisqu'il tend à améliorer l'espèce humaine, et à la civiliser par le travail. Il tend encore à prouver que le travail et la civilisation seraient impossibles à obtenir en Afrique, sous l'équateur, dans le pays même d'où le nègre tire son origine. L'exemple des Mexicains en est une preuve bien frappante et bien malheureuse. Considérons, en effet, que le nègre est un peuple très-ancien ; qu'il remonte peut-être à l'origine de l'espèce humaine ; que, pendant des milliers de siècles, il a été entouré de nations grandes, puissantes, laborieuses et très-éclairées ; qu'elles ont long-tems brillé d'un grand éclat, sous ses yeux ; qu'il les a toujours repoussées ou méconnues; qu'il est encore dans la même stupidité, la même ignorance qu'au premier âge du monde.

Le nègre serait-il donc l'homme primitif, la souche de toutes les générations? Ne devient-il invariable dans ses premières habitudes, que pour conserver le type de notre première origine? Cela est possible: le climat qu'il habite est plus favorable qu'aucun autre à l'enfance de l'espèce humaine. Mais croyons plu-tôt que son climat repousse tout travail, toute civilisation, et qu'il ne peut obtenir quelque perfection, que par sa transplantation dans un climat plus tempéré, où il sera contraint de travailler. La comparaison entre lui et le nègre créole, et la différence qui en résulte en sont une preuve bien convaincante.

1832

Dans la typologie des nègres, il y en a un qui trouve difficilement sa place : l'albinos. Quelle idée de posséder un corps aussi équivoque !

Les Gueule-Rose provoquent, au mieux, le rire :

> « Les inspecteurs, pliés en deux, rugirent de rire. La plus vaste blague qu'ils avaient jamais entendue.
> Gueule-Rose prit un air vexé.
> — Pourquoi est-ce que Gus ne voulait pas t'emmener avec lui en Afrique, Gueule-Rose ? demanda Ed Cercueil, que la chose intriguait. Parce que tu drogues ?
> — Oh ! non, pas par rapport à ça. Il s'en foutait. Non. M'a dit que j'étais trop blanc. M'a dit que les Noirs, en Afrique, ils n'aimaient pas les nègres blancs et qu'ils me tueraient. »
> (Chester Himes, *Ne nous énervons pas !*, Gallimard, Série noire n° 640, 1961.)

Pas facile !

Au pire, l'accès de fièvre scientifique considéré comme l'un des beaux-arts. Un albinos nègre, quoi de plus obscène pour exciter l'imagination d'un tératologue européen du XIXe siècle : Geoffroy Saint-Hilaire. Jean-Paul Aron et Roger Kempf (cf. *Le pénis et la démoralisation de l'Occident,* Grasset, 1978) signalent la place de ce docteur en médecine, professeur de zoologie et d'anatomie à l'Athénée royal de Paris, aide-naturaliste au Muséum royal d'histoire naturelle, dans le contexte idéologique du capitalisme en expansion. Mais, à part le « pénis », il eut – à moins qu'il ne s'agisse de la même chose – d'autres crispations. Voir son *Histoire générale et particulière des anomalies de l'organisation chez l'homme et les animaux*, publiée à Paris en 1832 :

SUR L'ALBINISME CHEZ LES NOIRS

En général, les caractères extérieurs de l'albinisme complet paraissent encore empreints à un plus haut degré dans les individus mâles que dans les individus femelles. La peau des premiers est plus blafarde, leurs yeux sont plus faibles. On affirme même qu'ils vivent ordinairement moins longtemps, et l'on donne pour certain, du moins à l'égard de ceux de la race nègre, qu'ils sont presque toujours incapables d'engendrer.

Il n'est pas douteux au contraire que les femmes albinos ne puissent devenir mères, et ne soient même quelquefois assez fécondes. La plupart des auteurs, en rapportant cette circonstance physiologique, constatée par de nombreuses observations, ajoutent que les femmes albinos, appartenant à la race noire, produisent avec les nègres des enfants pies [souligné par G.S.-H.], *c'est-à-dire variés de grandes taches noires et blanches. On serait porté au premier aspect à regarder comme rationnelle et très-vraisemblable cette assertion d'un grand nombre de voyageurs, qui nous ferait retrouver, dans le produit de cette sorte de croisement, le mélange des caractères de coloration du père et de ceux de la mère. Cependant, admettre sans restriction ce fait général, ce serait adopter une erreur physiologique grave en elle-même, et plus grave encore par les conséquences fâcheuses qu'elle pourrait avoir en médecine légale. En effet, d'après un grand nombre d'observations faites sur les animaux, et conformément à deux lois générales que j'en ai déduites, et que j'ai ailleurs établies* [G.S.-H. rappelle en note : … *Le produit de deux individus d'espèce différente présente généralement des caractères constants, fixes, et qui sont en partie ceux du père, en partie ceux de la mère : en d'autres termes, il forme véritablement un être intermédiaire entre les deux espèces, sans jamais présenter tous les caractères de l'une d'elles, à l'exclusion de ceux de l'autre. Au contraire, le produit du croisement de deux variétés de la même espèce tient souvent de l'une ou de l'autre, mais souvent aussi ressemble entièrement à l'un des individus qui lui ont donné naissance. Or le nègre et l'albinos de la race nègre sont deux variétés de la même espèce, c'est-à-dire ne présentent que de très légères différences d'organisation : le nègre et le blanc forment au contraire deux espèces essentiellement différentes, c'est-à-dire présentent des différences d'organisation profondes, importantes, et égales en valeur à celles qui caractérisent généralement les espèces.]*, *je crois pouvoir affirmer qu'autant le produit de l'union d'un individu de la race noire et d'un individu de la race blanche doit être et est constant, autant le produit de l'union de deux individus de même race, l'un normal, l'autre albinos, doit être variable. L'enfant d'une femme albinos et d'un nègre ne sera donc pas toujours un enfant pie : il pourra être complètement albinos ; il pourra aussi être entièrement noir. Déjà même je puis confirmer par la citation de quelques faits cette induction théorique. Th. Jefferson* [G.S.-H. réfère à *Notes on the state of Virginia*, Londres, 1784] *a vu deux sœurs albinos donner naissance, l'une à un enfant albinos comme elle, l'autre à un enfant très-noir comme son père ; et ce dernier cas est même si peu rare qu'il a été signalé par quelques auteurs comme le plus fréquent de tous.*

Les albinos ne s'élèvent pas ordinairement au degré d'intelligence qui appartient à leur race. [On peut cependant citer quelques exceptions… ajoute l'auteur en note.*] Plus faible aussi sous le rapport physique, on ne s'étonnera pas qu'ils soient presque partout en butte au mépris et aux mauvais traitements de ceux qui les entourent. Dans quelques parties de l'Afrique, les nègres, refusant de les traiter en hommes, les chassent des lieux habités ; et on assure même, d'après les renseignements recueillis dans les colonies, que les noirs de la Guinée font périr tous les albinos qui naissent parmi eux, dans l'espoir de détourner les malheurs dont ils se croient menacés par l'apparition d'une telle anomalie. Ainsi règnent encore chez les peuples de la race noire les mêmes croyances, les mêmes craintes qui commandaient à nos pères le massacre des individus monstrueux et difformes, et qui l'avaient fait consacrer comme un devoir par les lois grecques et romaines : ainsi l'ignorance renouvelle partout, dans l'enfance des sociétés humaines, les mêmes spectacles de superstition et de cruauté !*

1880

David Livingstone, petit ouvrier fileur de coton à Blantyre, en Angleterre, devenu médecin au bout d'études entreprises à l'université de Glasgow, puis missionnaire-explorateur, part en Afrique pour sa deuxième grande exploration en 1858. Il quitte son pays, emportant une chaloupe à vapeur et à rames en pièces détachées, destinée à sillonner le Zambèze. Deux ans plus tôt, lors de sa première exploration, il avait laissé, dans une mission, sous la garde d'amis sûrs, ses accompagnateurs indigènes, 27 Makololos. « Lorsque ceux-ci apprirent l'arrivée du missionnaire, ils se précipitèrent au-devant de lui avec des démonstrations de la joie la plus vive, renonçant à l'embrasser uniquement parce qu'ils craignaient de le salir. » Livingstone étrennait en effet des habits neufs. Les Makololos ayant appris à policer leurs émotions, tout se passa proprement. Hélas, notre héros courait vers de sanglantes aventures. La civilisation perdit ses traces. Il fallut prendre des mesures énergiques[10].

Stanley [Henry Stanley, parti en 1870 à la recherche de David Livingstone égaré dans l'intérieur de l'Afrique] *et ses compagnons traversèrent le désert de Mgounda-Mkali et atteignirent l'Ougogo. Le 31 décembre [1874], ils quittèrent ce pays et reprirent leur marche vers le nord, ayant pris avec eux des guides ouagogos qui, à Mouhalala, dans l'Oukimbo, leur faussèrent bravement compagnie. D'autres guides furent engagés, qui en firent autant la nuit même. L'expédition*

10 Source : A. Bitard, *Les races humaines et les grandes explorations du globe*, Mégard et Cie., coll. « Bibliothèque morale de la jeunesse », Rouen, 1880.

n'en continua pas moins sa route au milieu d'une espèce de forêt vierge, où il fallut s'ouvrir un chemin à coups de sabre et de hache, presque sans vivres et sans eau.

Après cinq jours de fatigues, nos voyageurs atteignirent un village composé de cinq familles nègres, n'ayant pas même le nécessaire ; ils résolurent néanmoins de se reposer là, de tâcher d'obtenir quelque chose de la chasse, et envoyèrent à tout événement des hommes acheter des vivres au village le plus proche. Ce ne fut que deux jours après que ceux-ci reparurent, bien pourvus heureusement, car la chasse n'avait rien donné. On traversa ensuite l'Ourimi, où l'on perdit un des Européens, Edouard Pocock, mort de la fièvre typhoïde à Tchionagou, au point même où commence le bassin du Nil.

Deux jours après, à Mangara, l'un des membres indigènes de l'expédition fut attiré dans un piège et odieusement assassiné par les Ouarimis. Dans l'impossibilité de venger son malheureux compagnon, Stanley poursuivit sa marche et arriva, le 21 janvier 1875, à Vinyata, dans l'Itourou, où il fit la découverte d'une importante rivière, le Lioumbou. Là aussi, il eut à soutenir plusieurs combats meurtriers contre les indigènes, attirés par le riche butin de l'expédition, et qui, le matin du troisième jour de leur séjour à Vinyata, attaquèrent le camp au nombre d'une centaine. Le camp fut aussitôt solidement retranché, pendant que soixante hommes s'escrimaient contre les Ouatourous pour protéger les travailleurs. L'expédition était organisée, en vérité, comme une petite armée ; il n'y manquait pas même les tambours et les clairons, instruments très-utiles pour transmettre à distance des ordres aux combattants. Le moment venu, les retranchements élevés, on sonna la retraite, et les tirailleurs rentrèrent au camp, après avoir tué quinze hommes aux Ouatourous, sans parler des blessés.

Le lendemain, M. Stanley, qui voulait en finir, forma quatre colonnes qui sortirent du camp, chacune dans une direction différente, avec ordre de saisir tout le bétail et d'incendier tous les villages qu'elles rencontreraient. Il était indispensable de donner une sévère leçon à ces agresseurs. Les Ouatourous furent vite mis en déroute et poursuivis avec ardeur jusque sur les bords du Lioumbou. Un détachement, sous les ordres de Fardjalla Christie, s'engagea trop en avant et fut bientôt cerné par une foule immense d'indigènes ; ce détachement fut promptement exterminé, à l'exception d'un seul homme. On se porta immédiatement au secours du second détachement, que les Ouatourous attaquaient à son tour : deux hommes étaient déjà tombés, et le chef, Ferahan, avait reçu un coup de lance dans le flanc. Une décharge bien dirigée de la part des troupes de renfort dispersa les assaillants, que les deux détachements poursuivirent jusqu'aux extrémités nord et est de la vallée. Pendant ce temps, les deux autres colonnes atteignaient le sud et le sud-est de la vallée et mettaient le feu aux villages, dont plus d'une vingtaine furent brûlés ce jour-là. Le soir, les hommes revinrent au camp chargés de grain et ramenant des bestiaux en grande quantité ; mais vingt-et-un d'entre eux manquaient à l'appel.

Le jour suivant, la bataille recommença : soixante hommes descendirent dans la vallée, détruisant tout ce qui avait échappé la veille ; ils prirent d'assaut, après une légère résistance, un grand village où ils trouvèrent des masses considérables de grain, et auquel ils mirent le feu. Les Ouatourous en avaient assez ; aussi laissèrent-ils dès lors l'expédition continuer paisiblement sa route vers le nord. Mais cette affaire, si bien menée qu'elle fût, avait causé des pertes sensibles à l'expédition. Sur trois cents hommes dont elle se composait au début, il n'en restait plus que cent quatre-vingt-quatorze ; le reste, sauf quelques désertions, avait succombé aux fièvres, à la dysenterie ou sous les coups des sauvages indigènes de ces contrées inhospitalières.

1908

De tout ceci, une conclusion se dégage. Et elle n'est point, il faut bien le dire, tout à fait conforme aux idées des négrophiles à tout crin qui, depuis cent ans, prônèrent sans relâche le principe de l'égalité des races. C'est que ces grands enfants noirs, tant qu'ils seront livrés à eux-mêmes, se laisseront aller à tous les mauvais instincts des êtres primitifs. Ils ont besoin que les Blancs veillent sur eux d'un peu plus près et les dirigent avec quelque énergie, ou sinon ils ne sont pas près de prendre, comme le dit si plaisamment le président Nord Alexis, leur place parmi les nations civilisées.

Ernest LAUT…

…dans *Le Petit Journal,* premier grand titre national populaire français, lancé à 5 centimes en 1863 et atteignant en 1900 le tirage étonnant à l'époque d'un million d'exemplaires. C'est de ce support de masse que Ernest Judet mena une offensive de choc contre les dreyfusards, ajoutant sa modeste pierre à l'édifice de la future « solution finale ». La figure du Sauvage extérieur – « ces grands enfants noirs » – y trouvait donc aussi sa place. Dans châteaux et chaumières, l'ombre portée de mes grands-parents apporta des frissons en couleurs.

Le Petit Journal

Le Petit Journal

5 CENTIMES SUPPLÉMENT ILLUSTRÉ 5 CENTIMES

ABONNEMENTS

Le Petit Journal agricole, 5 cent. — La Mode du Petit Journal, 10 cent.

Le Petit Journal illustré de la Jeunesse, 10 cent.

On s'abonne sans frais dans tous les bureaux de poste

DIMANCHE 29 MARS 1908

LA RÉVOLUTION EN HAITI

Douze notables de Port-au-Prince sont fusillés sans jugement

1948

Je fouine dans les vieilleries, encore. En 1917, une note allemande proteste contre l'utilisation des troupes noires en Europe dans les rangs de l'armée française. Les députés coloniaux (Sénégal et Guadeloupe) réagissent vivement contre « la prétention des négriers allemands, de ceux qui, à cette heure même, traitent en véritables esclaves les malheureux habitants des pays envahis par leurs armées »... (*Excelsior,* 17 janvier 1917). Exactement comme les colons de Saint-Domingue reprochaient aux aristocrates métropolitains le sort imposé à la paysannerie française.

Toujours est-il que les sauvages ne parvinrent jamais à établir dans l'Hexagone une communauté nombreuse et structurée. Encore moins en Allemagne. Mais l'Europe ne manqua pas d'inventer la figure du *Sauvage intérieur:* le Juif. Les éléments idéologiques existaient depuis la crucifixion de Jésus ! Vint la crise économique des années vingt. Et la suite. Où l'on courut au plus pressé, à l'horrible. En France, ça prendra corps, massivement, ce jour de juillet 1942 au Vélodrome d'Hiver.

Feuilletez ce torchon qui s'appelait *Le Matin,* quelques mois plus tôt : « [...] c'est racialement et non religieusement que doit être posé et réglé le problème juif [...] il y a beau temps que les juifs malfaisants sont convertis » (3 décembre 1941). Remontez plus avant : « Ultime avertissement aux marchands juifs » (31 juillet 1941). Redescendez en vitesse : « [...] mobilisation de toutes les forces juives pour le triomphe de Moscou » (4 avril 1944). Sur ce parcours brisé, l'odeur de gaz vous accompagne à chaque page.

Entre-temps que sont les nègres devenus ? Je revois *Lacombe Lucien* de Louis Malle et Patrick Modiano. Souvenez-vous, ce Noir collabo. Gare à qui se choque de l'existence d'un tel personnage. Cette honte n'est pas plus étonnante que la gloire, la petite ou la grande comme vous voulez. Je lis *La guerre secrète de Joséphine Baker,* ou quand un officier gaulliste raconte pourquoi l'artiste a obtenu la médaille de la Résistance (*Commandant Jacques Abtey*, éd. Siboney, Paris-La Havane, 1948). Comment traverser la drôle de guerre avec son étoile jaune confondue avec tout le corps, noir ? À l'envers ou à l'endroit. Surtout si les maîtres se crispent sur un autre corps.

Les nègres avaient déjà payé ? Comme si c'était la rougeole ! Et comme si se retrouver dans la cale d'un navire négrier au XVIIe siècle, privé de sa terre, victime de rapports de domination concrètement repérables, force de travail capturée pour une utilisation économique précise, comme si c'était la même chose que de se retrouver au Vel' d'Hiv', corps surnuméraire, indésirable, à exterminer…

Or, à l'envers comme à l'endroit, les clichés sont là, têtus, on dirait éternels. Suivez bien la plume du commandant narrant sa « Première rencontre avec Joséphine Baker », au début de la guerre. Je découpe en plans – l'ordre étant celui même du récit –, les indications de mise en scène garantissant ma propre riposte fictionnelle. Donc *La guerre secrète de Joséphine Baker :*

L'ACTION COMMENCE EN SEPTEMBRE 1939…

plan 1 … « je travaillais depuis quelques semaines avec un garçon aussi débrouillard qu'actif et rempli d'un immense désir de bien faire, Daniel Marouani…

plan 2 Vous devriez faire la connaissance de Joséphine Baker, me dit-il un jour…

plan 3 J'avoue que ce genre de proposition me surprit quelque peu… On se souvenait un peu trop bien de Mata-Hari…

plan 4 *(Flash-back)* Je ne connaissais Joséphine Baker que par ses disques, ses photos et des articles de presse la représentant comme une artiste exceptionnelle, mais quelque peu excentrique.

plan 5 J'avoue qu'à mesure que nous nous approchions de sa demeure, je devins de plus en plus curieux.

plan 6 ... ce fut l'apparition, au-dessus des buissons, d'un feutre ratatiné... Souriant de toutes ses dents, elle était là, une main dans la poche d'un vieux pantalon, l'autre tenant une vieille boîte de conserve rouillée remplie d'escargots.

plan 7 ... elle semblait attacher à ma personne une curiosité égale. La partie s'annonçait donc chaude pour moi.

plan 8 Coupant court à l'effet de surprise réciproque, Marouani nous entraîna vers l'intérieur de la maison... Les escargots étaient restés... *(Plongée vers le sol)* sur le perron.

plan 9 *(Gros plan cheminée)* Ce fut donc au coin du feu, dans cette douce ambiance *(Mettre à fond les violons)*, que prit naissance cette collaboration qui devait nous mener sur les grandes routes de l'Europe, de l'Afrique du Nord et du Moyen-Orient, pour la résurrection de la France. *(Souligner le dernier mot.)*

plan 10 ... je subis pour la première fois de ma vie, le charme tant empreint de nostalgie des gens de sa race et je dus faire un effort afin de ne pas laisser paraître mon émotion quand elle me parlait de la France... *(Souligner le dernier mot.)*

plan 11 *(Voix féminine, accent américain)* La France est douce, il fait bon y vivre pour nous autres gens de couleur, parce qu'il n'y existe pas de préjugés racistes. Ne suis-je pas devenu *(sic)* l'enfant chéri des Parisiens.

(Ici, ménager possibilité coupure publicitaire en cas d'exportation du film à la télévision américaine.)

plan 12 *(Même voix que plan 11)*... je suis heureuse d'avoir devant moi un homme jeune, sympathique... – et elle eut un exquis sourire – ayant l'allure d'un sportman... je n'ai pas connu jusqu'à présent d'officier du Deuxième Bureau.

plan 13 *(Retour à la voix masculine)*... je trouvai remarquable la manière avec laquelle je fus mis sur la sellette. – Je lui donnai, bien sûr, tous apaisements...

plan 14 Dans la cheminée montaient toujours les flammes, faisant craquer et siffler les bûches. Elles jetaient leur chaude lueur sur la fine statue d'ébène qui se découpait dans la pénombre et dansaient sur le visage de Joséphine.

plan 15 *(Plongée sur chaussures)* Je m'en allai, curieusement impressionné, laissant derrière moi cette paisible demeure où sans doute j'étais venu semer le trouble. – Que pouvait bien penser cette femme maintenant que je l'avais quittée? – La fraîcheur du soir me sortit de ma torpeur. – Sur le perron, les escargots avaient disparu, corps et biens par le chemin des écoliers... Je m'enfonçais dans la nuit.

(Évidemment, il n'échappe pas à l'observateur le moins attentif que Marouani aussi aura disparu... Dernier plan : zoom sur téléphone d'époque :)

plan 16 *(La voix masculine)* Allo! Le 50 au Vésinet!
(La voix féminine) Quelle joie! Venez vite, je serais heureuse de vous voir.

L'année de la publication du livre que nous venons d'adapter, *L'Aurore* annonce ainsi le come-back de Joséphine Baker : « Mais cette fois Joséphine n'apparaîtra pas ceinturée seulement d'un régime de bananes. Son corps, couvert de cicatrices, garde les traces des innombrables opérations qu'il lui a fallu subir pendant et après la guerre » (31 mars 1948)…

1978

GÉRARD DE VILLIERS PRÉSENTE :
« S.A.S. BROIE DU NOIR »,

espionnage.

(Les chiffres entre parenthèses indiquent les pages espionnées, rééd. 1978.)

POUR VOTRE PROPRE SÉCURITÉ
PENDANT QUE VOUS LISEZ CE TEXTE
VOUS ÊTES PHOTOGRAPHIÉ(E)

Le steward noir n'arrêtait pas de faire la navette (10). *Aussi le prince Malko Linge, S.A.S. pour ses amis et ennemis du Renseignement, broyait du noir… ce voyage ne lui disait rien qui vaille* (11). *L'hôtesse passa, déposant un menu devant chaque passager: toasts au caviar, escalope de veau, salade, fromage et pâtisserie. Air Congo faisait des frais* (12). *Pour en avoir le cœur net, il examina de nouveau l'inconnu qui avait voulu le tuer. Il était trop bronzé pour ne pas être en Afrique depuis longtemps… Malko ne se trompait pas tellement. Julius, avant de s'appeler Julius, avait été un des plus beaux fleurons du 60e commando de mercenaires katangais, plus connu sous le nom de Groupe Cobra* (16-17). *Pour la plupart des passagers, c'était le premier contact avec l'Afrique et ils collaient curieusement leur visage aux hublots dans l'espoir de découvrir une vision bien pittoresque. Mais il n'y avait que beaucoup d'arbres. Depuis longtemps les Mau-Mau faisaient partie du folklore… Il avait même eu droit à sa vodka russe favorite. C'était plutôt inattendu au cœur de l'Afrique* (27). *Malko regarda avec regret le gros Jet. Il aurait bien continué jusqu'en Afrique du Sud pour se faire choyer* (28). *Quand Allan Pap entra dans le bar du Koriko, les trois putains noires assises à la table près de l'entrée se retournèrent d'un seul geste et jacassèrent avec animation. L'une d'entre elles enleva une des pointes Bic plantées dans ses cheveux et se gratta la poitrine, égrillarde. Pap était le type d'homme qui plaisait aux Noires: 1,90 m, le crâne rasé, des épaules de débardeur et des yeux bleus faussement naïfs… Il commanda un coca-cola à la serveuse en boubou, la poitrine comme deux obus. Elle n'avait pas plus de quatorze ans. Il régnait un vacarme infernal au Koriko, à cause du juke-box qui marchait sans arrêt, cerné d'un groupe de jeunes Noirs en transe… Les yeux dorés et les yeux bleus s'apprécièrent une seconde* (28-29). *Les meilleures alliées de la C.I.A.*

contre la pénétration communiste étaient la paresse et l'incroyable concussion des Noirs, rebelles à toute forme de collectivisme. La pensée la plus profonde de Mao Tsé-Toung n'arrivait pas à faire remuer le petit doigt à un fonctionnaire conscient de la chaleur et de son importance (30). *Toutes les filles portaient d'incroyables coiffures, les cheveux graissés et dressés sur la tête... Malko commençait à trouver saumâtre ce voyage en Afrique : – Il y a de magnifiques plages en Afrique du Sud, suggéra-t-il* (31). *– J'ai un passeport autrichien, dit Malko dignement. – Et alors ? Il y a un mois, ils ont arrêté, dans l'aéroport, toute une délégation diplomatique de la Guinée, parce qu'un des diplomates avait fait une réflexion sur la saleté des W.-C. – Je vous dis que c'est un monde de dingues. N'importe quoi peut arriver... Si tout se passe bien, ils seront retournés au Moyen Âge d'ici une dizaine d'années* (32). *Sans cesse, des Noires entraient et sortaient, toujours moulées dans d'étonnants boubous aux couleurs éclatantes, dévisageant les Blancs effrontément. La puissance sexuelle des indigènes avait beau être un sujet inépuisable d'histoires salées, elles rêvaient toutes d'un amant blanc, pour avoir de la conversation à leur retour au village. L'une d'elles frôla Malko. Il sentit sa cuisse dure comme du teck, dont elle avait la couleur. Pour 10 shillings elle était prête à se laisser culbuter dans le building en construction du coin de Broadstreet... Un ange aux ailes très sales passa* (33-34). *L'ange qui repassait par là eut un hoquet de dégoût et repartit à tire-d'aile* (35). *– Et si je me retrouve en prison au Burundi ?... – Avec ces gars-là, on ne sait jamais où se termine l'amitié et où commence l'appétit... L'ange repassa, de plus en plus dégoûté* (36). *– Sauf le détail de mes obsèques, répliqua Malko, pince-sans-rire. Je désire être cuit en sauce. – Allons, allons, tous ces gens sont à l'O.N.U... – C'est vous qui avez fait de l'humour noir à mes dépens* (37). *– Je vais aller au Burundi, fit Malko. Mais c'est uniquement parce que je veux terminer l'aile ouest de mon château avant l'hiver* (38). *Le consulat du Burundi à Elisabethville... Au plafond auréolé de mouches de toutes les couleurs, un grand ventilateur brassait inutilement un air chaud et nauséabond* (39). *Le Noir leva une tête endormie... Par moments, les Noirs sont capables d'une ruse infinie* (40). *Le chef était en train de faire un sixième enfant à sa concubine... De sa démarche dansante, il traversa la rue brûlante et disparut* (41)... *Julius Nieder crevait de chaleur... La vieille Moskowich, empruntée à un chauffeur de taxi noir... puait comme il n'était pas possible. Mais* *c'était indispensable pour une filature discrète* (44). *Malko attendait un taxi sur le pas de l'hôtel... Une jeune Noire, très belle avec son boubou décoré de roues de bicyclette, et un mouchoir bleu sur la tête, passa devant lui et lui lança une œillade. Presque appétissante* (45). *L'énorme Noir casqué braqua sur Malko sa mitraillette tchécoslovaque à laquelle il avait fixé une baïonnette effilée comme un rasoir, et roula des yeux menaçants... Même au cœur de l'Afrique, il tenait à rester élégant* (47). *Il allait refermer sa valise quand le soldat qui l'avait interpellé poussa un aboiement de joie. Posant sa mitraillette, il plongea la main dans la valise et ramena une paire de chaussettes de soie noire. – C'est un devoir plein de plaisir d'aider la révolution, fit-il dans son français exotique, en enfonçant les chaussettes dans une des poches de son battle-dress... Malko referma sa valise, rougeaud et suant murmura : « Les nègres ont trois passions : les mouchoirs, les chaussettes et l'Indépendance »* (48). *Il ignorait que ses cheveux blonds l'identifiaient aux yeux des Noirs à un Flamand, l'espèce de Blancs qu'ils haïssaient le plus* (49). *Au bar minuscule, une beauté locale dévisagea les cheveux blonds de Malko avec concupiscence... Comme signe de richesse extérieure, elle avait planté dans ses cheveux raides plusieurs pointes Bic. La Vénus callipyge lui fit un grand sourire. Il n'eut pas le temps de répondre à cette marque d'intérêt* (50). *Une voix furieuse le coupa, visiblement celle du Président qui attaqua dans un français chantant, langue officielle du Burundi : « Je suis très, très fâché. Ma colère est superlative. J'interdis précisivement que les fonctionnaires culbutent des jeunes filles dans les locaux de l'Administration... » Il en profita pour s'esquiver vers la sortie, enjambant deux lézards qui bloquaient la porte... Un grand Noir vêtu d'un casque de pompier américain et d'un slip passa, traînant un extincteur à roulettes... un Noir vêtu à l'européenne... avait attaché l'une des extrémités de son énorme chaîne de montre nickelée à un des boutons de sa braguette, ce qui nuisait beaucoup à la dignité de l'ensemble* (51). *Ici, au Burundi, c'était un autre univers, irrationnel et imprévisible* (52). *Dès qu'il sortit du taxi, Malko fut pris à la gorge par l'odeur de la ville. Toute l'Afrique sent, mais là, il y avait quelque chose de plus* (53). *Quant au climatiseur, il faisait un peu moins de bruit qu'un Boeing au décollage et soufflait un air tiède et nauséabond* (54). *– Charmant pays, avait remarqué Malko. Vous ne croyez pas que ce serait plus simple d'envoyer un bataillon de marines faire un safari là-bas* (55) *?... les colères* *d'Ari-le-Tueur étaient célèbres jusqu'en Afrique du Sud* (56). *L'imprécision africaine. Ça pouvait être à 100 mètres ou à 10 kilomètres* (57). *Rapidement, il fit disparaître son sexe dans son boubou et partit en courant, découvrant l'objet sur lequel il urinait. C'était une tête d'homme* (59). *L'autre soupira. – … ce n'est rien. Ils ne me voulaient pas du mal. Mais vous savez, les Africains…* (60) – *Même les nègres me pissent dessus et je ne peux rien dire…* (61). – *Je ne veux qu'une chose, souffla Couderc. Partir, foutre le camp de ce putain de pays et ne plus jamais voir un nègre de ma vie, vous m'entendez? Si j'avais du pognon, j'irais à l'ONU et je leur dirais, moi, ce que c'est que les nègres* (62).

Et ça se poursuit à ce rythme et dans ce ton sur environ 250 pages oscillations de tension et de détente ça se poursuit quatre fois par an à un million de spermatozoïdes chaque coup depuis 1965 ça ne rate pas ça n'a pas arrêté de se développer de s'ériger support massif de la diffusion de l'énoncé raciste dans les classes moyennes françaises et au-delà produit de luxe exporté boeing boeing explosion des limites de l'Hexagone emballages fond noir papier pelliculé figure blonde en chemise de toile ouverte sur la poitrine nouée à la cannoise au-dessus du nombril ceinture large boucle métallique rectangulaire hanche saillante angle amorti arrondi flèche noire jaillissant du fond orientée vers le sein gauche chapeauté par poche kaki fente de la boutonnière verticale fusil horizontal retenu contre bas de la nuque omoplates bloquées main droite posée sur la crosse avant-bras gauche sur le canon chair à nu chevelure sous feutre de cow-boy descendant s'étalant coupée par bande noire fond envahissant sigle S.A.S. blanc cassé donnant accès à l'objet grille aux mailles béantes ôtez l'A et rendez-vous au parc des Princes ou alors qu'on se défoule à fond champignon au plancher fiction fiction fiction jusqu'au devenir-four de la fiction livres films disques magazines publicité présentez armes le foquisme *Que viva Guevara* la crise irlandaise *Furie à Belfast* la révolution des œillets *Les sorciers du Tage* les nègres *S.A.S. broie du noir* 1967 septième de la série et réédité les nègres *S.A.S. Magie noire à New York* 1968 et réédité les nègres *S.A.S. Requiem pour Tontons Macoutes* 1971 et réédité 1978 vous reprendrez bien un peu de nègre en trois livraisons le nègre en Afrique le nègre aux USA le nègre en Haïti le nègre tel qu'en lui-même jamais rien ne le change en 759 pages à raison d'un stéréotype au moins par page même pas 5 centimes l'unité calculez l'économie que ça représente sans compter les possibilités de crédit de lecture gratuit remboursement à volonté garantie illimitée de mise en boîte des blessures tout le spectacle du monde comme si vous y étiez enroulé déroulé express Histoire gonflée aux hormones blessures Gérard de Villiers écrit tout haut ce qui se panse tout bas coton hydrophile sang dégoulinant Gérard de Villiers chie tout propre merde rentrée refoulée passant Dieu sait où prévoyant de passer qui sait où

RÉSUMÉ DES ÉPISODES PRÉCÉDENTS

PARCOURS ALPHABÉTIQUE DU CORPS NOIR

Accent, Afrique, albinos, âme, animalité, anthropophagie, apartheid, arbre, assimilé, authentique.

Bananes (ceinture de), Banania, baptême, beauté, bête, blanchir, bon enfant, bouche, brousse, brutalité.

Cannibale, cerveau, chanter, chevelure, chocolat, civilisation, colonie, connaissance, corpulence, (de) couleur, crâne, cul (de la négresse).

Danser, dentition, (absence de) désir, diaspora, différence, dieu(x), don(s naturels), dormir.

Ébène, (peuple) élu, émotion, enfant (mauvais ou bon), esclavage, étrangeté, exotique.

Feu, férocité, fétiche, force, forêt.

Goutte-d'Or, guenon.

Harlem, hérédité, (absence d')histoire, (degré d')humanité, hygiène.

Identité, immigré(s), indigène(s), infirmité, instinct, intégration, inintelligence, invisibilité.

Jazz, jelly roll, jungle.

Katangais, *King Kong,* Ku Klux Klan.

Là-bas.

Magie, main(s), maladie(s), marron, marque, masque, mère, mission, monstrueux, musique.

Nation noire, nature, nez, noirceur, nounou, nuit.

Obscurité, odeur, Oncle Tom, oreille(s), origine, *Othello.*

Paresse, (défaut de) parole, petit-nègre, phallus, pied(s), *Porgy and Bess*, pouvoir noir, prince noir.

Queue leu leu.

R (escamotage de la lettre), race noire, *Racines*, rire, roi nègre, rythme.

Sacrifice(s), (corps) sale, sanguinaire, sauvage, sens, sexe, silence, singe, (peuple) souffrant, soumission, souplesse, spécificité(s), sperme, spiritualité, sport, stéatopygie, superstition, surnaturel.

Tam-Tam, *Tarzan,* tête, tirailleur sénégalais, token, traite, transplantation, (inaptitude au) travail, tribu, tropical, trou noir.

U-élé u-élé, u-élé, ma-li-ba ma-ka-si (extrait de *Tintin au Congo*).

Viol, violence, virilité, vaudou.

Wa-wa.

Xica da Silva.

Yeah!

Zoulou.

CONTREPOINT

N'ayant ni de pouvoir à prendre ni d'intérêts à perdre – je choisis donc d'en rire. D'un éclat qui engage le pari de la contagion. Jouant sur la part communicable d'une condition dont je persiste à croire que chacun la vit sur un mode singulier. Parasitant parole de maîtres et paroles d'esclaves, dans la seule intention de finir, au bout du compte, par faire jaillir la mienne, par en transmettre le peu de sens audible. Je m'avise que les trois cinquantaines de mots constituant la poétique fruste du corps noir se rattachent à des écrits d'hommes ; et que les femmes qui ont traversé l'espace africain, à partir de leur regard d'Européennes, ont ramené des discours *décalés.* Je pense à Karen Blixen, dans *La ferme africaine;* et à Marthe Arnaud, dans *Manière de Blanc.* La figure de la Femme (que brouille le travesti) et la figure du Nègre (que subvertissent les albinos, les métis et autres bâtards) entretiennent, à la culture de l'œil, un rapport apparenté. Loin de nous précipiter, de nouveau, dans la différence (féminitude/négritude), cette analogie nous en éloigne. Au même titre que telle chute de récit, savoureuse, d'Ernst Bloch : « *Les Blancs comme les autres ne ressemblent la plupart du temps qu'à leur propre caricature ; toute livrée est mal coupée, la vie est un mauvais tailleur. Quant au Noir, sa vêture lui tomberait du corps encore plus sûrement, s'il y regardait de plus près* » (*Les Essais*, CXLI, « Traces », Gallimard, 1968).

IV

VÉRIFICATION D'IDENTITÉ

Où le héros, ayant repris son souffle, s'engage avec une grande vélocité – comme s'il craignait d'être poursuivi – dans la forêt de son nom, croise d'autres destins et, dans la clairière des différences plurielles, fait l'éloge de la solitude absolue.

— Vos papiers S.V.P. ?

(Un flic.)

AUTOBIOGRAPHIE

Charleville, une minute d'arrêt! Charlice
au pays des merveilles. Charles botté. Ch
arles maudit. Charlanoïaque. Charles quin
te de tout. Charles Occident de parcours.
Charles de gaulche. Charles dingo. Charla
tan. Charenton. Électrocharles. Charles é
chaudé craint l'eau froide. Charles-huant.
À cloche-Charles. Tout feu tout Charles. C
harloperie. Charleston. Charles est stoned.
Pierre à Charles. Charlerie aérienne. Char
les alternatif et Charles continu. Charlu-
bohu. Charluberlu. Charlembour. Charles me
urt de serpents. Charleur étouffante. Arrê
te ton Charles! Charles d'assaut. Charles
là qui va là!? Charles sans t'émouvoir. Ch
arles angoisse. Charles à trouille. Charle
s à trous. Charloup-garou. Charlimpimpin.
Charlie Mingus. Charleggro ma non troppo!!!

FOUILLES CHARLÉOLOGIQUES

1500 avant jésus-christ me demandant comment tout cela a-t-il pu bien commencer en Égypte je bosse comme un nègre pendant que thoutmès je ne sais plus combien trois je crois oui trois hume sa peau son pouvoir dans la grande baignoire j'érige des monuments qui vont traverser les siècles la caravane a encore emmené dix-sept nègres ce matin ça gonfle bientôt c'est périclès qui va être content je grimace dans les dionysies je me fends la gueule par masque interposé les écrivains remportent des prix les comédiens rivalisent d'adresse qu'est-ce qu'ils ont tous à m'imiter que me trouvent-ils de si drôle 1492 christophe colomb découvre plus marrant que moi les taïnos et autres peaux rouges en moins de trente ans on n'en fait qu'une bouchée las casas s'émeut tourne sa plume d'oie dans l'encrier et finit bondieupapa par penser à moi l'arabie ne m'avait jamais oublié l'asie non plus du cap blanc au cap de bonne-espérance elles n'arrêtent pas de me promener à pied à chameau en bateau 1516 traité de la traite la belgique c'est tout petit sur la carte mais quelle célébrité combien de temps cela va-t-il durer les rois nègres m'attrapent les négriers blancs m'attrapent sur la côte le navire m'attend pour le voyage combien seront ainsi attendus des et des millions good morning america sans compter ceux qui seront restés en angleterre en hollande au portugal et moi à saint-domingue 1800 lieues carrées dit-on à monsieur necker je suis 455 000 en 1788 contre 34 500 libres non non non 405 564 esclaves rétorquent les cahiers de doléances des planteurs contre 364 196 en 1787 y compris les manchots les unijambistes les culs-de-jatte de toute façon ça ne change pas grand-chose les querelles de statistiques pourvu que de la terre jaillissent la canne à sucre le café le coton le cacao non non laisse tomber le cacao on ne fera pas mieux que les anglais laisse le coton aux u.s.a. donne-moi du café du sucre surtout du sucre et que ça saute tu ne passeras pas comme le café jean un peu d'énergie flemmard je fais de mon mieux chef qu'elle était loin la gueule à chriscol sa faim d'épices ses yeux qui pissent des pierres précieuses ses mousses qui l'coulent quand terre terre capitaine les herbes merveilleuses et l'or et l'air et l'or et l'air et les jolies catins cuivrées qu'ils violèrent et patapan patabaffe sur le colon qui n'eut pas le temps de voir venir c'était écrit pourtant mais encore fallait-il lire n'insistez pas bonaparte c'est foutu waterloo première version la victoire des culs-de-jatte la revanche de spartacus les gentils nègres sont devenus méchants ils pillent ils massacrent ils violent éloignez de ma vue ces horreurs que je ne saurais voir sont vraiment pas civilisés ces gens-là y'a rien de bon à tirer des sauvages rien rien trois fois rien le cap français n'existe plus ses habitants ont été massacrés mon journal finit à cette époque désastreuse je dois rendre compte à mes lecteurs des funestes journées des attentats atroces leur souvenir rouvre encor mes playes mais j'étoufferai ma douleur hélas mon œil desséché va errer de ruines en ruines de cadavres en cadavres vérité sainte sois mon guide ma plume doit être trempée dans les larmes et dans le sang mais non pas dans le fiel ni la haine c'était fini depuis cette date 1794 encore un effort s'écrie napoléon qui n'hésite pas à embarquer des polonais dans le carnage 1804 l'apothéose l'armée victorieuse des esclaves organise la fête de l'indépendance les officiers caracolent je me retrouve avec moi-même me regardant au fond des yeux de quoi demain sera-t-il fait je vais vous le dire d'exploitation du nègre par le nègre de guerres civiles d'oppressions inouïes une classe de noirs étant devenus blancs comme par enchantement je vous le dis c'est de la magie c'est pas naturel encore des trucs vaudou 1915 retour du colon lequel ne s'était jamais vraiment absenté cette fois il parle américain do you see my big stick you see it o.k. you better believe it monsieur s'installe monsieur fait comme chez lui monsieur est en effet chez lui mais levée de guérilleros dans les campagnes charlemagne péralte dit pas d'accord on lui répond par le langage de l'exécution see my big gun you better work smile and sleep pendant ce temps je crève dans le cotton belt je crève à cuba je surcrève au brésil je recrève en afrique mais est-ce toujours moi je suis devenu mille ce n'est plus moi je scindé diaspora disent-ils je veux bien mais à quand la terre promise en 49 maman m'expulse je me frotte les yeux c'est pas très beau à voir tout ça n'avez pas honte ceinturée l'île bouclée fermée à clé cousue et pillage pillage y'en a de toutes les couleurs valse des drapeaux je cours vers papa karlo ça va pas non patabaffe papa mao sale coco au poteau au pot d'chambre salaud petit dégoûtant indiscipliné aliéné poum un coup d'pied au/MORE TO COME

LE COMPLEXE DE GRIFFIN

il était une fois john howard griffin mansfield texas poids 85 kg cheveux bruns race blanche sexe masculin taille 1 mètre 98 griffin est écœuré de ce que sera devenu le rêve américain griffin désire racheter ses congénères du sud profond griffin décide de vivre oui à fond la condition d'un noir du sud profond c'est en 1959 et dans cette région du monde sévit un apartheid brutal un nègre et un blanc ne pissent pas dans les mêmes chiottes un nègre et un blanc ne se regardent jamais dans les yeux un nègre ne dit jamais sa vérité à un blanc ne dit jamais à un blanc sa vérité de nègre sa vérité de blanc griffin décide de savoir l'ignorance tourmente griffin qui perd le sommeil une idée m'avait hanté pendant des années et cette nuit-là elle me revint avec plus d'insistance que jamais si au cœur des états du sud un blanc se transformait en noir comment s'adapterait-il à sa nouvelle condition voilà c'est simple griffin se déguise rayons ultra-violets colorants et c'est parti griffin fait ses adieux à sa femme à ses enfants et à leurs chats griffin traverse la nouvelle-orléans et le mississipi et l'alabama et la géorgie griffin cire des godasses de blancs griffin devient invisible tellement invisible qu'on lui refuse du boulot qu'on refuse de lui servir à boire qu'on lui demande si vraiment il a un big stuff une grosse bite un gros machin un truc géant griffin perd le luxe de la pudeur griffin découvre la dualité du problème noir en la personne de christopher nègre qui chie sur les nègres déteste les nègres et chante du blues et des cantiques romains griffin découvre l'injustice on ne se sentait pas aux états-unis dit griffin il fut aveugle dans le temps accident de guerre si je ne me trompe comment reconnaître un nègre quand on est aveugle comment distinguer les écriteaux white only colored people quand on est aveugle griffin a recouvré la vue griffin s'est coloré avant il n'avait pas de couleur maintenant il est devenu de couleur griffin se regarde dans la glace il dit cette image est un retour à l'afrique griffin perd le sud mais pas le nord griffin est en sueur il découvre qu'il transpire pareil aucune différence griffin ne sent rien griffin n'est pas enrhumé griffin se fâche j'ai étudié objectivement les thèses fondées sur l'anthropologie les clichés classiques qui soulignent les différences culturelles et ethniques et j'ai constaté que c'est tout simplement un tissu d'inexactitudes bref bullshit lancerait griffin s'il était mal élevé mais griffin se tient droit à table encore que dans ses pérégrinations dans la peau d'un noir il ne mange pas souvent à table griffin découvre les joies de la vie à ras de sol griffin pisse à la belle étoile contre un arbre et se souvient de l'enfant qu'il fut griffin découvre que les alligators sont racistes et préfèrent bouffer une tortue au lieu d'un négrillon griffin dans l'autobus découvre la solidarité entre les damnés les nègres se bouffent la gueule entre eux mais dès qu'ils sont attaqués complicité de l'épiderme griffin tombe sur des affiches cochonnes blanc adulte cherche petites filles noires miam miam griffin est scandalisé griffin ne baise pas une seule fois pendant ses voyages à part l'antiracisme griffin offre des garanties sur tout le reste il croit à la famille à la patrie à la religion au contribuable et au soldat griffin n'est ni radical ni pédé ni drogué ni rien de marginal l'antiracisme de griffin est une bombe impeccable griffin découvre des scandales terribles des petits blancs racistes sautent des négresses en lynchant leurs compagnons naturels le sang de griffin ne fait qu'un tour griffin débarque à atlanta où les nègres ont décidé de rompre l'emprise des banques blanches avec des banques noires l'esprit capitaliste est sauf griffin se frotte les mains pourvu que ça dure comme les capitalistes noirs ne se pressent pas au portillon le même homme peut être banquier nègre pasteur nègre universitaire nègre et leader politique nègre c'est toujours ça de pris griffin voit là l'avenir du problème noir on est en 59 n'oublions pas à atlanta quartier d'auburn street finances et industries noires contrôlent près de 80 millions de dollars bien verts c'est pas grand-chose mais ça viendra ce n'est qu'un début zeu very beginning petit à petit l'oiseau noir fait son nid faut pas attendre que les alouettes te tombent toutes rôties dans le capital les rockfeller aussi ont commencé petits qu'est-ce que t'en dis mon petit chou-chou griffin laisse tomber son chewing-gum pour narrer l'expérience well monsieur griffin vous êtes blanc vous vivez à mansfield au texas vous êtes de sexe masculin vous avez les cheveux bruns vous mesurez 1 mètre 98 vous pesez 85 kilos je vous pose la question monsieur griffin qu'est-ce que ça vous fait d'être noir well tout d'abord monsieur mike wallace laissez-moi vous exprimer mon émotion griffin reçoit des milliers de lettres les petits blancs du sud en veulent à griffin et veulent lui faire la peau griffin appelle les flics qui protègent illico sa famille sa maison le ku klux klan fait brûler une croix devinez où pas chez griffin mais dans une école de noirs aïe aïe aïe l'émotion de griffin monte d'un degré griffin prépare un bouquin les éditeurs se ruent sur griffin pierre dumayet pipe au bec fait son petit tour d'amérique pour cinq colonnes à la une chez griffin monsieur griffin vous êtes blanc vous vivez à mansfield texas vous venez de monsieur griffin raconte raconte raconte tandis que quelque part à port-au-prince un môme assis sous un grand arbre souffle éperdument dans un kazoo ce môme-là c'est moi du corps noir des gosses blancs vont répétant qu'il sera sûrement tombé dans du chocolat drôle un corps d'abord blanc puis grimé maquillé un corps normal auquel *on* aurait fait une farce corps à lécher alléchant chocolat papou mis en vente par les publicitaires dans la vitrine audiovisuelle nègres B.D/ssinés dans la meilleure tradition ethnographique yeux en billes de loto lippes plantureuses âge idéal pour enfoncer les stéréotypes dans la tête des petits d'homme dans les antilles prêtez l'oreille aux comptines cavalier blanc dans le couchant souloune verra son galant cavalier noir dans le miroir madame pleurera ce soir mon cinéma d'enfant noir fut celui de millions d'autres quelque part entre hercule et saint-jean don juan et don quichotte mystique qui tirait volontiers le coup de poing en s'imaginant dans un décor de western boy-scout soucieux de sa B.A. quotidienne et de l'élégance de ses chaussettes pour la santé du corps l'émulsion scott huile de foie de morue blanche comme craie désagréable au possible pour la propreté de l'âme le missel les images pieuses et de temps en temps quelques baffes le dimanche pour cinquante sous john wayne foulard au cou semait la merde dans un saloon les troupes yankees revolvérisaient le maximum d'indiens sous les applaudissements de toute la salle la france profil fuyant de la tour eiffel fantôme de paul bourget silhouettes de l'académie françoise intellectuels bon chic bon genre redingote et chapeau melon alexandrins et tournoiement de canne pommeau d'ivoire affaire dreyfus guerre de 14 guerre d'algérie des mots sans sens rien à voir avec mes rêves envie de devenir curé et de parler latin couramment mémorisation de textes dictées compositions littérature dissertation délire inconscient envahissant crispation sur la faute d'orthographe et grammaire alléluia satan je renonce la faute s'y vautrer barboter rebelle ça te conduit en ligne arrière banc des cancres et des masturbateurs y échapper te vaut respect promotion au rang des zérofaute j'étais un zérofaute avoue futur petit-bourgeois dégénéré avoue tacticien précoce de la voix de son maître avoue surcroît de prestige d'une nullité totale en mathématiques nous ne les battrons jamais dans les mathématiques s'écrie senghor recopiez-moi ça 700 fois p'tit con nous ne les battrons jamais dans les drames s'attacher à bien écrire et s'entendre à fond la caisse avec les branleurs loucher vers l'impossible gérer la contradiction des fables en cours et des lectures déconseillées interdites rejetées avec dédain dans le champ du malécrit revenir de la messe dominicale médaille d'honneur sur la poitrine hostie dans l'estomac en sortant son sexe oh de la braguette refuser d'être flic préposé à la craie à la brosse au rangement et à la distribution des cahiers calligraphe de la pensée morale de la semaine bien mal acquis on a toujours besoin d'un plus petit pierre qui roule détenteur du secret des placards répression des flirts grossiers avec la langue créole équation mentale du beau du vrai du bien du blanc de dieu de la france aimhaïssable sphère de valeurs pesant sur nos vies avec une force implacable et pourtant fuites percées glissements dérapages j'ai passé mon enfance dans les jardins suspendus de babylone chantait blaise cendrars dans sa prose du transsibérien madame bovary c'est moi son plus redoutable assassin c'est encore moi autres sons de cloche la révolution cubaine les barbus de fidel j'avais dix ans je me souviens aussi d'un vieux tonton que tout le monde appelait le général en souvenir des guerres civiles où il avait traîné ses bottes des répressions qu'il avait dû conduire du haut de son cheval des fonds de culottes qu'il avait dû martyriser sur des selles réputées redoutables à cause sans doute des forts fétiches qu'il y avait embusqués sans compter tous les esprits qui étaient censés le protéger sans compter tous les morts dont il avait pu apprivoiser l'âme le général aveugle cloué sur sa chaise racontant ses faits d'armes et moi n'écoutant pas distrait par la chose entrevue une fois à la dérobée son bandage herniaire je me souviens de deux écharpes la première ceinturant l'abdomen la seconde pliée en cravate serrant ses cuisses rabattue en arrière retenue par deux épingles à nourrice pour d'autres les grèves brutalement réprimées les manifestations dispersées à coups de mitraillette les prisons très peu en réchapperont pour l'adolescent pêcheur de lune le chaos de la vie trouva progressivement un sens agression de la misère crânes défoncés au coin de la rue permanente proximité du cimetière immense impression d'écrasement humiliation monde derrière écran de fumée bêtise planifiée obscurantisme glauque micro-luttes vécues héroïques trouver un livre planquer un tract et cette image encore je n'avais pas huit ans culottes courtes rire dans la gorge angoisse aux trousses j'ouvre les yeux ébloui stupéfait la horde des pillards a envahi en un coup de vent la boulangerie de la grand-rue débauche de pics et de pelles de marteaux et de machettes voltige de bâtons manches à balai canifs fracas histoire en folie majeure four à pain en éclats pâtes à pain virevoltant au bout des foènes autos démantibulées à coups de gourdins air enfariné torrent de rancœurs expurgées le périmètre affamé de la ville devenant centre explosant dans des visions de têtes coupées de maisons brûlées de patrie de nègres indépendants mélange d'explosions légitimes et de mystifications par les manipulateurs de masses croque-morts assoiffés de plèbe en sang tribunes dressées discours démagogiques et moi me faufilant sur les bords sac à malices de l'insouciance ne pensant qu'à une chose ramasser quelques douilles de springfield la frousse viendra plus tard et la mise en forme idéologique et l'écriture et l'exil mexico en plein été études de médecine poursuivies jamais rattrapées ça court ça court avoue ça démissionne voix off militoc sur la gueule avoue traversée du rio grande amphétamines dans la valise machine chimique à fabriquer du temps sommeil minimal paranoïa dormir d'un œil si quelqu'un fait des gestes derrière moi ingestion gargantuesque de vies crachement d'écritures chant troisième découverte de l'amérique terre terre capitaine décortiquer mao en sirotant du coca-cola la tête remplie de sirènes de cars de police horizon de gratte-ciel et de haines boule de violence au creux du ventre diarrhées pas besoin de trône pour faire caca camarades conclusion porté par trop d'interrogations pour accrocher sérieusement ses quelques certitudes à des logiques d'appareil fiche n° xxxxxxxxxx à classer sous étiquette esthète individualiste légèrement hermétique avec éclairs incontrôlables déchiré entre artaud et maïakovski utilisable avec précaution new york aéroport kennedy tout a changé rien n'a changé le corps de l'esclave circule serrements de dents non rien n'a changé quand tout a changé des travailleurs haïtiens chassés de leur pays par les bandits de la négritude les boutiquiers des juteux comptoirs impériaux débarquent journellement le passeport est la partie la plus noble de l'homme brecht double file

AMERICAN CITIZENS
RESIDENTS

assurance du port de tête
flots de maïn-d'œuvre co
ulant depuis les années ci
nquante se déversant à ry
thme plus ou moins régul
ier suivant les périodes cir
culant librement dans les
deux sens du billet d'avio
n NY – PAP – NY ou P
AP – NY – PAP englis
h spoken

VISITORS

angoisse fatigue après-moi
s de galopades entre les a
gences les usuriers et les
ministères de port-au-pri
nce entre les vexations à l'
ambassade du grand voisi
n du nord et le suspense d
u bureau de police se dév
ersant sans retour dans le
s usines dans les usines da
ns les usines

soldats de l'armée de réserve du kapital étoilé archipel des ghettos l'avion a remplacé le navire négrier seuls les bagages voyagent dans la soute et le sourire des hôtesses colgate au gardol le corps de l'esclave poing dans les poches rage rentrée avançant patient dans les turbulences new york deuxième ville d'haïti un quart de million de femmes et d'hommes parmi d'autres qui auront échangé le catalogue tropical des horreurs contre la barbarie démocratique américaine au chapitre des profits et pertes rien de perdu rien de gagné bouteille à moitié vide contre bouteille à moitié pleine toutes deux bien fermées lorsque le maccarthysme brisait les reins à reich traquait chaplin guettait robeson au premier tournant expédiait les rosenberg à la chaise électrique les mirages du capitalisme réussi répondaient à l'appel d'air des dictatures exterminatrices flots migratoires vers la mégalopole ça n'allait pas s'arrêter ça continue ça continue et tandis que j'imagine manhattan aux mille misères dressées dans une débauche de lumières brel chante à la radio une île au large de l'espoir où les hommes n'auraient pas peur une île au large de l'amour/MAMOUTH ÉCRASE LES PRIX

AUCUN RETOUR POSSIBLE

filer tout droit me défiler oblique mais toujours devant moi ça continue pas moyen de m'arrêter sauf à opter entre charybde et scylla entre deux morts je pourrais multiplier les images il suffirait de reprendre en charge tout le regard qui crée la figure majuscule du nègre en laquelle se réduit chaque nègre chacune de mes formes de vie se transforme en un cliché chacun de mes modes de résistance se transforme en un mythe je ne sens plus mes mains mes jambes deviennent flasques mes paupières s'alourdissent seul mon sexe tendu vers le ciel (vous avez déjà vu un nègre privé de ce monument ?) témoigne de la vie qui bouillonne en moi tableau clinique d'un cas de possession oui par l'œil du maître la drogue colorante du maître injectée à répétition n'a pas manqué de provoquer chez les sujets accoutumance dépendance et tendance à l'augmentation des doses je ne sens plus mes mains mes jambes deviennent flasques mes paupières à l'opposé un marxisme d'acier et de sang voudrait dissoudre la question noire dans la catégorie de la classe sociale dilemme de qui veut s'éloigner à toute vitesse du nationalisme noiriste en esquivant d'un pas de danse insolent la marelle stalinienne le dos contre le mur du colonialisme les oreilles pleines du vacarme des bottes fraternelles le ciel de brejnev menaçant de lui tomber sur la tête coca-cola prêt à étancher sa soif il se dit inutile de crier je vis ici et n'en veux pas mais il y a plus d'ailleurs je rejette tout universalisme vague face aux entreprises contemporaines de laminage des singularités mais dans le même mouvement j'écarte les nationalismes étriqués je m'oppose à toutes les barbaries et trouve légitimes toutes les insoumissions je ne peux bégayer que ma propre condition d'exilé absolu d'homme de nulle part de nègre errant j'avance autrement dit toujours dans le noir mais c'est de ce noir que jaillit pour moi la plus folle espérance c'est ce noir excusez du peu qui m'illumine je cours je cours la fixation apeurée étant le plus court chemin qui mène à la nécrose mais il n'y a plus de mots s'il faut appartenir à quelque race je suis de la race des voyageurs sans mots la porte est étroite entre l'attachement crispé narcissique à ce corps et une dénégation forcenée où il ne resterait plus personne plus rien où quatre siècles plus de quatre siècles après les débuts de la traite le maître verrait ainsi aboutir son dessein de vider de tout contenu le sujet capturé d'en faire une pure force de travail une mécanique parfaitement adaptée au développement de l'occident c'est pourtant là dans l'exiguïté difficile de cette voie que je cherche à me faufiler sur cette corde raide où le refus de la négritude ruine d'emblée toute fuite en avant dans l'utopie d'un monde incolore et je vois s'agrandir l'abîme devant moi

SOLITUDES

où devant la chausse-trappe autroubiographique le héros s'interroge n'ayant pas encore les moyens ni le courage de se taire en attendant je meurs mon corps comme on dit en créole au moment où le corps vit le plus intensément son mouvement sa révolte il ne m'est pas d'autre façon d'en finir de commencer à en finir avec l'œil du maître tapi en chacun de nous avec le maître plus avant il n'y a pas d'autre force pour l'esclave que dans le silence dans le travail obstiné du silence sauf à buter sur le plus faux problème qu'un écrivain puisse se poser sentez-vous cette douleur à nulle autre égale se lamente tel poète des caraïbes léon laleau d'apprivoiser avec des mots de France ce cœur qui m'est venu du sénégal ou l'art de s'enfermer soi-même dans la prison du maître brouillée aggravée renforcée à vouloir s'en défaire par un geste magique et dérisoire d'adhésion au regard qui noircit redoublement du même devenir-maître soumission programmée comme si quand la matière d'une langue vous résiste comme si ça tenait à quelque situation raciale et que dans telle langue existante le nègre pouvait échapper à l'inadéquation au corps de toute langue mais lacan n'est pas un nègre n'est-ce pas pas davantage que marx ou freud ou tous ces blancs qui voudraient nous imposer me dit papa des schémas étrangers à notre être racial profond match de boxe métaphysique langage de blanc contre langage de nègre très peu pour moi mes mots ne sont pas de France mon cœur ne vient pas du sénégal d'ailleurs je ne possède nul mot à moi pas davantage qu'un cœur sauf à parler de cette boule sanglante dans ma poitrine mon corps squelette à venir labouré de désirs il se dépiaute dans tous les sens et ne comptez pas sur moi pour recoller les morceaux unité rassurante trop peu pour moi sentez-vous cet énorme déchirement du corps d'écrire dans n'importe quelle langue tiens je vais vous faire un petit poème en martien de cuisine j'écris c'est ma couleur proclame chester himes à un ami michel fabre les nouvelles littéraires n° 2664 sa nationalité est un pis-aller commodité administrative dans l'ordonnance policière de sa fiche d'identité nom prénom date et lieu de naissance domicile du côté d'alicante vous pouvez toujours sonner ventriloque par politesse il vous répond mais il reste ailleurs présence immédiate exil radical et magloire saint-aude qui annonçait dans ce poème intitulé vide écoutez rassasiant mes yeux du convoi de mes yeux ressuscités magloire saint-aude se précisant sans dieu livide fragile le cœur tranquille souple veilleur en cinq langues larme voilà take it or leave it entre l'idéal de silence et la parole d'urgence qui donne issue à nos désordres à nos excès à notre part maudite merci bataille la panne du désir d'écriture et de création est le plus court chemin qui mène à la terreur cela dit je garde précieusement en tête l'image du chef de camp nazi chialant sur un quatuor de mozart après avoir intimé l'ordre de mettre en route la chambre à gaz et ceci plans d'un documentaire filmé dans l'enfer chilien où l'on voit l'amiral merino membre de la junte co-auteur du bombardement du palais de la moneda le 11 septembre 1973 dégoûté de la vision du monde amère et noire de gabriel garcia marquez mais trouvant son bien chez tiens borgès peindre palette délicatement posée sur la main gauche univers de fleurs de poussins tendre verdure bonheur des généraux générique réalisation josé-maria berzosa ces images m'interdisent d'idéaliser l'art et la littérature en renforçant hé oui l'énigme que me pose mon appétit devant des œuvres où le crime n'abolit pas ma joie céline pound borgès par quel bout prendre ces transformations formelles fissurant l'édifice des belles-lettres ruptures du cercle ronronnant de la fiction archaïque où je perçois en même temps ébahi ma vie et ma mort borgès soutient sans rire que si on effaçait l'afrique et les nègres de l'histoire l'humanité ne perdrait pas grand-chose sinon rien tandis que si l'europe se volatilisait tout d'un coup je lis borgès avec plaisir et déplaisir me réjouissant que ma destinée ne soit reliée à une machine dont il détiendrait le contrôle même les paranaoïaques ont de vrais ennemis on n'en finirait pas d'établir la carte thanatographique de l'invention du corps noir heureusement les vérités de l'écriture sont ailleurs mènent ailleurs permettant l'écriture d'entretenir cette dernière illusion ce dernier vœu que des millions que des milliards de différences s'épanouissent reconnaissance au-delà de toute idée de bonheur ou de malheur qu'entre deux corps il n'existe ni passage privilégié ni mur infranchissable que la seule différence qui tienne est à multiplier au moins par autant d'êtres vivants sur cette planète hors retombée dans universalisme béat fraternité entre tous les hommes si tous les garçons si toutes les filles du monde bla bla bla bla que la seule identité qui vaille est plurielle contradictoire mobile insaisissable ou éloge de la solitude absolue celle au hasard des lectures en liberté d'edmond jabès être juif ce n'est pas être né d'une différence mais d'une séparation que les siècles ont creusée celle d'un jean-marie geng je dois à l'écriture au moins ceci préserver au travers d'une lisibilité banale un fond incommunicable d'une mai zetterling oiseau de passage prenant son envol dans son propre climat de terreur de serge legagneur livrant à montréal des textes en croix c'est que nos pieds sont exclusifs l'un de l'autre ou l'enracinerrance de kenneth white polyculturel insatiable à voyager ainsi où est-ce que je vais nulle part je traverse bien des lieux de l'esprit péniblement quelquefois pour n'aller nulle part nulle part c'est difficile mais j'y arriverai un jour voilà take it or leave it ou alors dis-moi ta propre condition exilée et je te dirai comment tu m'aides à respirer sans qu'il soit jamais réalisable qu'un corps se confonde avec un autre se métamorphose en un autre dans le leurre de l'identité collective et de la différence partagée

FINALE

Où l'on découvre d'étranges nègres rieurs.

L'étoile du mendiant
Entend le souffle de ma Mort.

Magloire Saint-Aude, *Déchu*

LES LARMES DE CHESTER H.

Chester Himes partageant l'affiche de cette émission télévisée dont le titre suggère que les livres seraient en fête[11]. Une équipe est allée le filmer, chez lui, près d'Alicante. Il parle. De l'amitié, Richard Wright et compagnie. De l'Amérique, contre laquelle il aura passé sa vie à se battre. De la prison, de l'écriture. De la célébrité, qui lui aura permis, pense-t-il, d'être enfin «libre». Musique de fond: du jazz. La machine à laminer les vies en petites tranches insignifiantes fonctionne. Sur la chaîne d'à côté (deux fois plus de téléspectateurs), Richard Nixon se répand. Chester se tait, sourit. Puis soudain, il se met à bredouiller. Contractions en rafales du visage. Heurts contre des murs invisibles. Larmes. La caméra, insistante, offre au regard des téléspectateurs ce spectacle qui ne leur communiquera rien. Chester n'est ni à l'écran ni dans sa maison. Il dérive ailleurs. Là où ça ne dialogue pas. Là où ça fait mal. Ses livres à lui ne sont pas en fête. En tout cas pas pour lui.

---

11 *Livres en fête,* TF1, 28 novembre 1978.

FINS

Dans le dix-septième chant de *L'Odyssée,* le vieux chien Argos, après avoir reconnu son maître, meurt.

Au moment où, tournant, rêvant à ce point où les mots n'auraient plus rien à dire, non plus derrière le débagoulis verbal, la faconde rieuse, le soliloque glossolalique, mais dans cette logique de silence définitive qui reste la technique de survie de ceux qui n'ont même plus de chaînes à perdre, vivant joyeusement leur mort, moi tournant et tournant, sentant s'imposer la fin de l'obsessionnel et tourmenté voyage, me demandant sous quelle forme, m'efforçant de rester ouvert à tout le possible, m'étant au hasard emparé de Jacques Roumain, il n'y a pas de hasard, relisant pour la énième fois ce fragment des *Gouverneurs de la rosée*...

> Encore un clou, encore un, approche la lumière, Anselme, encore un. Le cercueil est prêt, le couvercle s'ajuste. J'ai fini, et pour dire vrai, mon compère Manuel, c'est un service qui ne mérite pas de merci.

... persistant à faire de la parole des autres cet usage qui reste ma liberté et ma prison, c'est une mort qui vient lever l'angoisse, non il n'y a pas de hasard :

CHARLIE MINGUS

Charlie Mingus dont le trajet biographique, depuis Watts où je n'ai jamais mis les pieds mais c'est comme si j'y avais vécu toute ma vie, m'apprend que l'œil du maître peut servir à quelque chose, peut être le lieu de naissance d'une œuvre libératrice. Cette histoire connue, rappelée dans la presse cette semaine : Charlie Mingus qui délaissa le violoncelle (instrument jugé trop blanc) pour la contrebasse (jugée nègre). Et les colères de Charlie Mingus ! Et ça chialait, ça chialait quand ceux qui ont beaucoup à voir avec ces colères et ces larmes décidèrent de ponctuer son œuvre d'une spectaculaire ovation dans les jardins de la Maison-Blanche. Ils avaient déjà tué le bonhomme. Le fauteuil roulant lui tint lieu de cercueil, dans le tombeau de l'Amérique.

Charlie Mingus trépassé, dans ce pays, le Mexique, qui est aussi celui où un jour, *Au-dessous du volcan,* dans la tête d'un nègre qui s'appelait Malcolm Lowry, le cadavre d'un chien dégringola dans un ravin.

Dispersé dans les eaux du Gange. Salut vieille peau !

Paris, 11 janvier 1979

INDEX DES NOMS CITÉS

JOURNAUX ET RADIO-TV

Canal, 1978
Demain l'Afrique, 1978
Excelsior, 1917
France-Soir, 1975
La Gazette hebdomadaire de médecine et de chirurgie, 1865
L'Aurore, 1948
L'Express, 1978
Le Figaro Magazine, 1978
Le Journal général de Saint-Domingue, 1791
Le Matin, 1941-1944
Le Monde, 1976-1978
Le Petit Journal, 1908
Le Nouvel Observateur, 1978
Les Nouvelles Littéraires, 1978
Libération, 1978
Lui, 1978
The New York Times, 1973-1979

Europe 1, 1978
France-Culture, 1978
France-Inter, 1976-1977
France-Musique, 1978
TF1, 1978
Antenne 2, 1978

TABLE ICONOGRAPHIQUE

Ont contribué à l'iconographie : Gilles Perret et Jean-Pierre Vie

TABLE DES MATIÈRES

Transpoétique. Éloge du nomadisme, Hédi Bouraoui

Archipels littéraires, Paola Ghinelli

L'Afrique fait son cinéma. Regards et perspectives sur le cinéma africain francophone, Françoise Naudillon, Janusz Przychodzen et Sathya Rao (dir.)

Frédéric Marcellin. Un Haïtien se penche sur son pays, Léon-François Hoffman

Théâtre et Vodou : pour un théâtre populaire, Franck Fouché

Rira bien... Humour et ironie dans les littératures et le cinéma francophones, Françoise Naudillon, Christiane Ndiaye et Sathya Rao (dir.)

La carte. Point de vue sur le monde, Rachel Bouvet, Hélène Guy et Éric Waddell (dir.)

Ainsi parla l'Oncle suivi de *Revisiter l'Oncle*, Jean Price-Mars

Les chiens s'entre-dévorent... Indiens, Métis et Blancs dans le Grand Nord canadien, Jean Morisset

Aimé Césaire. Une saison en Haïti, Lilian Pestre de Almeida

Afrique. Paroles d'écrivains, Éloïse Brezault

Littératures autochtones, Maurizio Gatti et Louis-Jacques Dorais (dir.)

Refonder Haïti, Pierre Buteau, Rodney Saint-Éloi et Lyonel Trouillot (dir.)

Entre savoir et démocratie. Les luttes de l'Union nationale des étudiants haïtiens (UNEH) sous le gouvernement de François Duvalier, Leslie Péan (dir.)

Images et mirages des migrations dans les littératures et les cinémas d'Afrique francophone, Françoise Naudillon et Jean Ouédraogo (dir.)

Haïti délibérée, Jean Morisset

Bolya. Nomade cosmopolite mais sédentaire de l'éthique, Françoise Naudillon (dir.)

Controverse cubaine entre le tabac et le sucre, Fernando Ortiz

Les Printemps arabes, Michel Peterson (dir.)

L'État faible. Haïti et République Dominicaine, André Corten

Émile Ollivier, un destin exemplaire, Lise Gauvin (dir.)

Femmes en francophonie, Isaac Bazié et Françoise Naudillon (dir.)

D'un monde l'autre, tracées des littératures francophones, Lise Gauvin

Le Québec, la Charte, l'Autre. Et après ?, Marie-Claude Haince, Yara El-Ghadban et Leïla Benhadjoudja (dir.)

Histoire du style musical d'Haïti, Claude Dauphin

Une géographie populaire de la Caraïbe, Romain Cruse

Généalogie de la violence. Le terrorisme : piège pour la pensée, Gilles Bibeau

Trois études sur l'occupation américaine (1915-1934), Max U. Duvivier

Haïti, de la dictature à la démocratie, Bérard Cénatus, Stéphane Douailler, Michèle Duvivier Pierre Louis et Étienne Tassin (dir.)

Une place au soleil, Haïti, les Haïtiens et le Québec, Sean Mills (traduit par Hélène Paré)

L'OUVRAGE *LE CORPS NOIR*
DE JEAN-CLAUDE CHARLES
EST COMPOSÉ EN ADOBE GARAMOND PRO CORPS 12 / 14.

IL EST IMPRIMÉ SUR DU PAPIER RESOLUTE 80M CRÈME 5 PTS
EN MAI 2017
AU QUÉBEC (CANADA)
PAR IMPRIMERIE GAUVIN
POUR LE COMPTE DES ÉDITIONS MÉMOIRE D'ENCRIER INC.